Le petit livre du français correct

Du même auteur :

Le Sang des choses – Contes et Nouvelles, Corps 9 Éditions, 1983.

La Nuit étoilée – Nouvelles, Corps 9 Éditions, 1984.

Pour mieux dire « Peut mieux faire » – Guide pratique à l'usage des enseignants, Éditions François Chapel, 1986.

Mort d'un kiosquier – Récits, Éditions Critérion, 1994.

Mon enfant est au collège. Je le soutiens efficacement – Coll. « Réussir en équipe » (en collaboration avec Claudine Julaud), Éditions First, 1999.

Mon enfant est à l'école primaire. Je le soutiens efficacement – Coll. « Réussir en équipe » (en collaboration avec Claudine Julaud), Éditions First, 1999.

Ça ne va pas ? Manuel de poésiethérapie – Le Cherche midi éditeur, 2001.

Tu feras l'X – Roman, liv'éditions, 2001.

Le Petit Livre des tests du français correct – Éditions First, 2001.

Le français correct pour les Nuls – Éditions First, 2001.

Le Petit Livre de la conjugaison correcte – Éditions First, 2002.

Jean-Joseph Julaud

Le petit livre du français correct

Édition 2002

First Editions

ISBN 2-87691-678-9

Dépôt légal : 1er trimestre 2002

Nous nous efforçons de publier des ouvrages qui correspondent à vos attentes et votre satisfaction est pour nous une priorité.
Alors, n'hésitez pas à nous faire part de vos commentaires :

Éditions Générales First
33, avenue de la République
75011 Paris – France
Tél. : 01 40 21 46 46
Fax : 01 40 21 46 20
Internet e-mail : firstinfo@efirst.com
En avant-première, nos prochaines parutions, des résumés de tous les ouvrages du catalogue. Dialoguez en toute liberté avec nos auteurs et nos éditeurs. Tout cela et bien plus sur Internet à : www.efirst.com

Sommaire

On dit, on prononce, on écrit

À et de

Pour établir un lien d'appartenance, de possession, on utilisait indifféremment, en ancien français, « à » ou « de ». Depuis le XVIIe siècle, seule la préposition « de » est employée : *Voici la correspondante de Lucie* (et non *…à Lucie*). *C'est le portefeuille de Louis* (et non *…à Louis*). La préposition « à » subsiste dans certaines expressions : *la bande à Bonnot, un fils à papa.*

À et en

À pied, à cheval, en voiture, c'est le titre d'un film de Maurice Delbez où Jean-Paul Belmondo, à 24 ans, fait sa première apparition à l'écran en 1956. Les noms « pied » et « cheval » sont précédés de la préposition « à » puisqu'ils

nous portent; le nom « voiture » est précédé de la préposition « en » puisqu'on y pénètre.
Et « vélo » qui n'est pas dans ce titre mais de plus en plus présent dans les rues, sur les routes, de quelle préposition doit-il être précédé? Logiquement, puisqu'on le chevauche, on devrait dire « à vélo », Bourvil et Montand ne chantaient-ils pas « ...à bicyclette »? Pour le scooter et la moto, dont les formes sont plus ou moins enveloppantes, il y a hésitation. On dit « en rollers », « en patins » car il y a une parenté avec les expressions: « en chaussons, en bottes... ».

À et ou

Attention : avez-vous imaginé ce que peut être la réalité lorsque vous dites: *Cinq à six personnes attendaient l'ouverture du magasin.* « Cinq à six » personnes? Cinq personnes un quart? Cinq personnes et demie? Remplacer la préposition « à » par « ou », et dire « cinq ou six personnes » permet d'imaginer soit cinq, soit six personnes, sans vivisection, sans demi-portion...

Ab...

Les mots commençant par **ab** ne prennent qu'un **b** sauf: *abbé, abbatiale, abbaye, abbesse.*

Abasourdir

Le **s** du verbe « aba**s**ourdir » se prononce **z**.

Abhorrer

Le verbe « abhorrer » est l'équivalent de « détester ». Il ne faut pas le confondre avec « arborer » qui signifie « montrer avec ostentation », qu'il s'agisse d'un drapeau, d'un insigne, d'un sourire, d'une opinion…

Aborigène

Dans « aborigène », on trouve le mot « origine ». Un « aborigène » habite son pays depuis des générations, presque depuis les « origines ». On donne surtout ce nom au peuple australien installé depuis des millénaires sur son continent, avant l'arrivée des Hollandais puis des Anglais. Les termes parents d'« aborigène » (et non « arborigène ») sont : « autochtone », « indigène », « naturel », « natif ».

Abréviations

« Monsieur » s'abrège ainsi : **M.** et non Mr qui est l'abréviation pour l'anglais « *Mister* ». Au pluriel, on écrit, pour « messieurs », **MM**.

M. Dupont, Mr Pickwick.

MM. Dupont et Martin.

« Mademoiselle » s'abrège ainsi : **Mlle**.

Mlle Dupont (au pluriel : **Mlles**).

Madame : **Mme**.

Maître : **Me**.

Monseigneur : **Mgr**.

Cependant, en France, pour la correspondance, on n'abrège pas les appellations et les titres.

Académie française

Fondée en 1635 par Richelieu, le ministre de Louis XIII, notre aïeule à tous se situe aujourd'hui au bord de la Seine, à Paris, quai de Conti. Elle comporte quarante membres qu'on appelle les « immortels ». Elle veille avec amour sur nos mots, nos tournures et nos expressions, leur garantissant de passer d'un âge à l'autre sans trop de dommages. On écrit « l'Académie française » en employant la majuscule seulement pour « Académie », l'adjectif « française » prend une minuscule.

Accaparer

Le verbe « accaparer » doit être suivi d'un complément d'objet direct (il est transitif direct) : on « accapare » quelqu'un ou quelque chose. On ne doit pas l'employer à la voie pronominale : le verbe « s'accaparer » n'existe pas.

Accents

Pas d'accent circonflexe sur *bateau* (ne pas confondre avec *bâtiment*), *aromate, aromatiser, atome, boiter, boiteux, chalet, chapitre, chute, cime, colon* (le colonisateur), *déjeuner, dévot, drolatique, égout, fantomatique, gaine, gracier, gracieux, haler* (tirer une charge), *havre, infamant, moelle,*

pédiatre, psychiatre, psychiatrie, pupitre, racler, symptomatique, tache (de café, de sang), *zone*.
Un accent circonflexe sur *abîme* (le chapeau de la cime est tombé dans l'abîme), *aîné, arôme, bâbord, bêtise, boîte* (de carton par exemple), *boîtier, côlon* (l'intestin), *dîme, diplôme, épître, flâner, flûte, fût* (de colonne, de vin ou de fusil), *gîte, hâler* (bronzer), *infâme, jeûner, piqûre, symptôme, tâche* (le travail).

Accueil

Dans « accueil », « accueillir », on inverse le **e** et le **u** du son **eu**. Si on omet de le faire et qu'on écrit « acceuil », cela se prononce « asseuil... ».
Il en est de même pour *cueillir, recueil, recueillir, cercueil, écueil...*

Ad...

Les mots commençant par **ad** ne prennent qu'un **d** sauf : *addenda* (ajout fait à un ouvrage), *addition, adduction, addiction* (toxicomanie, boulimie...) et leurs dérivés.

Adjectif verbal

L'adjectif verbal se termine par **ant** ou **ent**; il est variable. Le participe présent se termine par **ant**; il est invariable. Les verbes en **guer** gardent le **u** du radical au participe présent. Ce **u** disparaît dans l'adjectif verbal.

Pour reconnaître l'un de l'autre, on peut dire que, généralement, le participe présent peut être remplacé par une subordonnée conjonctive, l'adjectif verbal (en position d'épithète), par une subordonnée relative.

Cet enfant fatigant (pas de **u**) *sera réprimandé.*

Fatiguant ses parents, cet enfant sera privé de dessert.

(« Parce qu'il fatigue ses parents… » : « fatiguant », participe présent, peut devenir une subordonnée conjonctive.)

Émergeant de la crise économique, ce pays est en voie de redressement.

Ce pays émergent (« qui émerge » : l'adjectif verbal épithète peut devenir une subordonnée relative) *n'aura pourtant pas un taux de croissance élevé.*

Naviguant près de la côte, le bateau a coulé.

Le personnel navigant est en grève.

En le convainquant, vous gagnerez.

Ce n'est pas un vendeur convaincant, il perdra le marché.

Provoquant la foule, il se met en danger.

Ses propos provocants lui nuisent.

Adverbes

On ajoute **…ment** aux adjectifs qualificatifs masculins terminés par **ai, é, i, u,** pour former l'adverbe de manière.

Vraiment (attention, exception : gaiement), *posément, désespérément, joliment, éperdument* (attention : *assidûment, continûment, crûment, dûment, goulûment, indû-*

ment prennent un accent circonflexe sur le **u**). Certains adjectifs terminés par **e** changent ce **e** en **é** : aveugle, aveuglément.
À partir des adjectifs terminés par **ant** ou **ent,** on forme les adverbes de la façon suivante : *brillant, brillamment - constant, constamment - courant, couramment - élégant, élégamment - méchant, méchamment... ; apparent, apparemment - différent, différemment - évident, évidemment - fréquent, fréquemment - intelligent, intelligemment - négligent, négligemment - patient, patiemment - prudent, prudemment...*

Aéro

« Aéro » signifie « air » ; on le trouve dans *aéroport, aérodrome, aéro-club, aéronaval...*
« Aréo » évoque Arès, le dieu de la Guerre chez les Grecs. On le trouve dans « aréopage » qui désignait un tribunal siégeant sur la colline d'Arès à Athènes, mais qui désigne aujourd'hui une assemblée de personnes très compétentes dans un domaine précis.
L'aréopage attendait dans l'aéroport.

Ag...

Les mots commençant par **ag** ne prennent qu'un **g** sauf : *agglomérer, agglutiner, aggraver* et leurs dérivés.

Agonir, agoniser

« Agonir » vient de l'ancien français « ahonir » qui signifie « déshonorer », « insulter ». Par exemple, un gardien de zoo peut « agonir d'injures » un éléphant qui lui monte sur le pied. « Agoniser », c'est entrer dans les souffrances de l'agonie. Par exemple, dans le même zoo, si un vieil éléphant malade voit sa fin approcher, on dira de lui qu'il agonise. « Agonir » se conjugue comme le verbe « finir ». On doit donc dire à l'imparfait : *Hier, il agonissait l'éléphant d'injures, aujourd'hui, il l'a encore agoni d'injures ;* « agoniser » se conjugue comme le verbe « aimer ».
Le vieil éléphant malade agonisait dans un coin, il a agonisé toute la nuit.

Aigu

« Aigu » fait au féminin « aiguë », le tréma se met sur le **e** et non sur le **u**. Il en est de même pour *ambiguë* (féminin d'ambigu), *exiguë, contiguë*. On écrit *ambiguïté, exiguïté, contiguïté* avec le tréma sur le **i**.
En 1975, malgré la règle en vigueur qui précise que le tréma doit être mis sur la deuxième voyelle, l'Académie proposait que celui-ci soit placé sur le **u** dans tous les mots précédents ; elle proposait aussi d'écrire *gageüre, mangeüre, vergeüre, argüer*.
Le Conseil supérieur de la langue française a réitéré ces propositions en 1990. L'usage n'a pas suivi, la règle

demeure ce qu'elle était : on met le tréma sur la seconde voyelle.

À l'attention de, à l'intention de

Sur un document, une lettre, un message qu'on destine à quelqu'un de précis, on écrit « à l'attention de… ». Ce message peut inviter le destinataire à se joindre à une soirée entre amis organisée « à l'intention de » quelqu'un dont on fête l'anniversaire, le succès ou le retour d'un long séjour au soleil (ou à l'ombre…).

Aller et retour

On écrit « des aller et retour », ou « des aller-retour ». Cependant, l'invariabilité de l'expression n'est pas toujours respectée, et on rencontre « des allers et retours » ou « des allers-retours ».

Almanach

Almanach se prononce « almana ».

Alors que

Cette locution conjonctive exprime l'opposition. Elle doit être employée en entier. Or ce n'est pas toujours le cas. En effet, on entend parfois le « que » seulement, amputé de son « alors ». La phrase comporte ainsi un « vide » fautif que ne perçoivent pas ceux qui en sont responsables :

Muriel a toujours aimé la lecture, que son frère, lui, préfère le sport! (au lieu de la forme correcte : *...alors que son frère...*). *Cet abonnement vous permet une certaine souplesse d'utilisation, que l'autre, moins cher, est plus rigide* (au lieu de : *...alors que l'autre, moins cher, est plus rigide*).

Alternative

Une alternative contient l'idée de deux possibilités. Il est incorrect d'employer « double alternative » lorsqu'on veut parler de deux choix possibles.

Être ou ne pas être. Il hésite devant cette alternative.

Je suis placé devant cette alternative : partir ou rester. La première possibilité me comblerait.

On entend de plus en plus l'emploi du mot « alternative » pour désigner une « solution de remplacement » : *Existe-t-il une alternative au transport par la route?* Dans ce cas, c'est le sens anglais qui est utilisé. On peut alors remplacer « alternative » par « choix » : *Existe-t-il un autre choix que celui du transport par la route?*

Amour

Au singulier, « amour » est masculin dans la majeure partie des cas, mais on peut le rencontrer au féminin en poésie. Au pluriel, les deux genres sont utilisés ; toutefois, le féminin pluriel est réservé à la passion amoureuse.

Années

Cela se passait dans les années 80..., signifie que l'on fait allusion à des années commençant toutes par 80 (81, 82, 83, etc., jusqu'à la fin de la décennie). Dire : *Cela se passait dans les années 82...* est une double erreur car d'une part, il n'y a qu'une année 82 et, d'autre part, 82 n'indique pas une période décennale.

Ap...

Les verbes commençant par **ap** prennent deux **p**, sauf : *apercevoir, aplanir, aplatir, apeurer, apaiser, apitoyer, apostropher, apostiller, apurer.*

Appas, appâts

Les « app**a**s » d'une femme (ce qui, chez elle, attire physiquement) peuvent faire succomber le p**é**cheur. Mais, aux « app**ât**s » du p**ê**cheur, ce sont les poissons qui succomberont.

Argent

À quelqu'un qui disait un jour : *J'ai tellement d'argent que je ne sais plus où la mettre,* il fut répondu : *Mettez donc votre argent d'abord au masculin !* En effet, « argent » n'est pas du genre féminin mais masculin. La « monnaie », « les pièces » contaminent sans doute ce mot de leur féminin.

Arobase @

On connaît bien ce petit signe qui figure dans toutes les adresses électroniques. Mais quelle est son histoire ? Son destin est singulier : il est né depuis des siècles, et personne ne s'accorde sur son nom, son lieu de naissance. Il serait apparu sous la plume des copistes pratiquant l'*onciale* (lettre arrondie) au Moyen Âge. En écrivant le *« ad »* latin (qui signifie « à »), ils auraient tracé une sorte de @. Longtemps utilisé par les Anglo-Américains pour désigner des prix (4 books @ $ 25 signifiait : 4 livres à 25 $ l'un), il fut adopté par Ray Tomlinson en 1972 pour séparer sans risque de mélange de lettres le nom de l'émetteur de celui du fournisseur d'accès. En français, la ressemblance avec un signe espagnol, l'*arroba* (11,5 kg) a conduit à la création flottante *arobas* ou *arobase* ou *arrobas* ou *arrobase*. « Arobase » semble s'imposer, avec le genre féminin. On l'appelle aussi « à commercial ». L'« @ » se prononce **at** en anglais.

Aucun

Lorsqu'ils sont adjectifs indéfinis, « aucun » et « aucune » possèdent une valeur négative : *Nous n'avons remarqué aucune erreur dans ce texte.* Ils sont rarement employés au pluriel, sauf devant les mots qui n'ont pas de singulier : *aucuns frais, aucuns honoraires, aucunes royalties, aucunes rillettes*. Le pronom indéfini « aucun » s'emploie la plupart du temps au singulier, sauf lorsqu'il est précédé de **d'**, il signifie alors « certains » : *D'aucuns ne partagent pas votre analyse de la situation.*

Au temps pour moi !

C'est ainsi que l'on s'excuse parfois auprès des autres pour avoir fait une erreur, et c'est ainsi que l'on doit écrire cette expression (et non *Autant pour moi !*). « Au temps » fait partie du vocabulaire équestre, militaire, sportif et musical ; cela signifie qu'il faut revenir au temps où devait commencer un mouvement.

Autre

Dans l'expression « entre autres », « autres » est au pluriel : *Verlaine, Rimbaud, Baudelaire, entre autres, figurent sur le tableau.* On écrit « de temps à autre » (« autre » au singulier).

Auxerre

On prononce « Au - ss - erre », « au - ss - errois » (et non « Aukserre », « aukserrois »).

Avatar

Le mot « avatar » vient de la religion hindoue où il signifie « métamorphose ». On doit donc l'utiliser pour désigner des changements, des modifications d'ensemble, des transformations, mais en aucun cas « avatar » ne désignera des difficultés, des problèmes ou des ennuis.

Avérer

Ce verbe vient du latin « *verus* » qui signifie « vrai ». Dire d'une information qu'elle est « avérée » signifie donc qu'elle est vraie. À la voie pronominale, « s'avérer » ne peut être suivi de « vrai », car « s'avérer vrai » est un pléonasme, ni de « faux », car « s'avérer faux » est une contradiction. Dans le doute, le verbe « s'avérer » peut être remplacé par « se révéler ».

Cette nouvelle vient d'être avérée.

*Les solutions proposées se sont révélées fausses (*et non *…se sont avérées fausses).*

Sa résistance à l'adversité s'avère étonnante.

Avignon

Un reste de langue d'oc – ou un zeste de snobisme – fait précéder Avignon de la préposition « en », comme s'il s'agissait d'un pays. Or, Avignon est une ville comme une autre, et on doit dire : *J'ai passé quelques jours à Avignon* et non *…en Avignon.*

Avoir l'air

Lorsqu'on parle d'une personne, on peut accorder avec le sujet si on considère que « avoir l'air » a le sens de « pa-

raître », « sembler ». *Cette conférencière a l'air (d'être) intéressante. Elle n'a pas l'air très contente.*
On accorde avec « air » lorsqu'on parle de la physionomie, de l'allure de la personne. *Cette conférencière a l'air sérieux.*
S'il s'agit d'une chose, on accorde avec le sujet. *Ces pommes ont l'air bonnes.*

Banal

Au sens propre, le masculin pluriel est « banaux ».
Au sens figuré, le masculin pluriel est « banals ».
Les fours banaux du Moyen Âge.
Les propos banals de mon voisin.

Balade, ballade

Une « ba**l**ade » est une promenade.
Une « ba**ll**ade » est une forme fixe en poésie, c'est, par extension, une chanson.

Bat-flanc

Le premier terme de ce mot composé désignant la pièce de bois qui sépare les chevaux dans une écurie, ou bien la cloison dans un dortoir, vient du verbe « battre ». Le « bat-flanc » est donc ce qui, sans le battre forcément, est en contact avec le flanc. On écrit au pluriel : « des bat-flanc ».

Battre son plein

Une curieuse interprétation de cette expression a conduit certains à affirmer qu'on ne devait pas mettre au pluriel « son plein » car, d'après eux, il s'agit d'un « son plein », d'un volume sonore maximal ; ils pensent ainsi qu'il faut dire : *Les fêtes battent « son plein ».* Or dans « battre son plein », « son » n'est pas un nom commun mais un adjectif possessif, « plein » étant un nom commun, et l'expression signifie, pour la marée, « avoir atteint son maximum, sa plus grande hauteur », c'est-à-dire « avoir atteint son plein ». « Plein » étant un nom commun, il est donc logique de dire ou d'écrire, par métaphore : *Les fêtes battent leur plein.*

Béni, bénit

Le verbe « bénir » conjugué avec l'auxiliaire avoir ne prend pas de **t** au participe passé : *Le pasteur a béni les alliances.* Pas de **t** non plus lorsque, conjugué avec l'auxiliaire être, « béni » est employé au sens large : *Ces instants sont bénis.* Lorsqu'il s'agit d'objets, on écrit « bénit » : *Ces médailles et ces chapelets sont bénits.*

L'eau bénite, le pain bénit et les rameaux bénits sont sortis pour la cérémonie.

Benzène

Le « benzène » est un hydrocarbure aromatique qui entre dans la composition de carburants et de combustibles. Il ne faut pas le confondre avec « Bunsen », le chimiste allemand qui a inventé le brûleur à gaz portant son nom : le « bec bunsen ».

Bonhomme

On écrit un « bonhomme », mais la « bonhomie ».

Bourg-en-Bresse

Cette charmante ville du département de l'Ain, célèbre pour sa collégiale, ne se prononce pas « Bourre - en - Bresse », mais « Bourk - en - Bresse ».

Bruxelles

Le **x** de « Bruxelles » se prononce **ss.** On parle donc de la ville de « Bru - ss - elles », des choux de « Bru - ss - elles » (et non de « Bru - ks - elles »).

Ça, çà

« Ç**a** », signifiant « cela », ne prend pas d'accent grave (« cela » non plus).

« Ç**à** » avec un accent grave est très peu employé aujourd'hui. Il signifie « ici ». On le rencontre aussi dans l'expression « çà et là ».

Hésiteriez-vous pour ça ?

Venez çà, que je vous parle !

Cahot, chaos

Un « cahot » est un rebond que fait une voiture sur une route au revêtement inégal. L'adjectif dérivé est « cahoteux ».
Un « chaos » est une confusion indescriptible. L'adjectif dérivé est « chaotique ».
La route est cahoteuse.
La situation est chaotique.

Carpentras

On prononce « Car - pen - tra », sans faire entendre le **s** à la fin.

Cassis

La lettre **s** doit être prononcée lorsqu'il s'agit de la baie noire et comestible qui sert à faire de la gelée ou du sirop. Elle est muette dans la ville de Cassis qu'on prononce « ca - ssi ».

Cauchemar

Un « cauchemar » ne prend pas de **d**, mais l'adjectif dérivé est « cauchemardesque ».

Cédille

On met une cédille sous le **c** pour obtenir le son **s** devant **a, o, u**.

*Les commer**ç**ants que vous avez aper**ç**us et que nous aper**c**evons vendent i**c**i des cale**ç**ons pour gar**ç**ons.*

Cela dit

« Ceci » annonce ce qui va être dit.
« Cela » fait référence à ce qui vient d'être dit.
On doit donc employer « Cela dit » (et non « Ceci dit »).
Cet homme est compétent. Cela dit, il n'est pas sans défaut.

Celui-ci, celui-là

Dans une phrase où l'on vient de citer deux éléments, « celui-ci » renvoie à celui qui le précède immédiatement, « celui-là » fait référence à l'autre, plus éloigné.
J'achète une voiture et une peau de chamois. Je mettrai celle-ci dans mon sac et celle-là dans mon garage.

Cent, vingt

Pour être efficace dans le domaine des liaisons avec « cent » et « vingt », il faut connaître parfaitement la règle d'accord de l'un et de l'autre (voir : On accorde p. 95).
Si cent n'est pas multiplié et s'il n'y a pas de **h** aspiré au début du mot qui suit, on fait la liaison en utilisant le **t** afin d'éviter l'hiatus.
Si « cent » est multiplié et non suivi d'un autre adjectif numéral, on utilise le **s** pour faire la liaison.

Même règle pour vingt.
Cent - t - élèves, cent - t - habitants, vingt - t - arbres, vingt - t - individus.
Deux cents - z - élèves, deux cents - z - habitants, quatre-vingts - z - arbres, quatre-vingts - z - individus.
Cent haricots. (Pas de liaison.)

C'est-à-dire

Deux traits d'union…

Chair, chère

Ce n'est pas parce que « chair » est synonyme de « viande » qu'il faut écrire « faire bonne chair » quand on a fait un bon repas. En effet, cela ne signifie pas que l'on a dégusté de bons plats, mais qu'on a fait bonne « tête », bon visage (« chère » vient ici du bas latin « *cara* » – dérivé du grec – devenu « chière » en ancien français : visage), bref, qu'on a eu l'air enchanté de recevoir ou d'être reçu. On écrit donc : *Faire bonne chère.*

Chaland

Si ce n'est un bateau, le « chaland » est le client d'une boutique, d'un magasin. On dira donc d'un magasin qu'il est bien « achalandé » s'il reçoit la visite de nombreux clients.

Chamonix

On dit « Cha - mo - ni », la lettre **x** devenant un petit flocon qui doucement tombe, en silence.

Chateaubriand, Châteaubriant

« Ch**a**teaubrian**d** », c'est l'écrivain (1768-1848), grand nom de la littérature qu'il faut prononcer élégamment avec un **a** léger et très ouvert, l'ensemble devant être distingué… (attention au **d** final).

« Ch**â**teaubrian**t** », c'est la petite ville des Marches de Bretagne, où l'on fabrique des charrues. Dans ce cas, on doit faire entendre l'accent circonflexe du **â**, et fermer avec application le son **ô** (châtô…), afin de donner à cette localité toute son authenticité rurale (attention au **t** final).

Ce terme désigne aussi une épaisse tranche de filet de bœuf grillé ou poêlé. Les deux orthographes peuvent être utilisées. On peut suggérer cependant que si la préparation de ce plat est particulièrement réussie, on adoptera l'orthographe de l'homme de lettres. Dans le cas contraire, on sanctionnera en utilisant l'orthographe rustique…

Ci-joint, ci-inclus

« Ci-joint » et « ci-inclus » sont adverbes, donc invariables, lorsque le nom qu'ils précèdent n'est pas lui-même précédé d'un article : *Vous trouverez ci-joint copie de l'article vous concernant.* Placés en tête de phrase, ils sont également

invariables : *Ci-inclus une carte d'identité à votre nom. Ci-joint les photos du site.*
« Ci-joint » et « ci-inclus » varient s'ils sont employés comme adjectifs qualificatifs : *La carte ci-jointe vous indiquera le chemin à suivre;* ils varient aussi si le nom qu'ils qualifient est précédé d'un déterminant (article ou adjectif) : *Vous trouverez ci-incluse la photocopie de votre passeport. Vous trouverez ci-jointes nos photos de la cérémonie.*

Clemenceau

Bien que la prononciation du patronyme du « Tigre » soit « Clé - menceau », on ne met pas d'accent aigu sur le premier **e**, et on écrit donc : Georges Cl**e**menceau.

Commémorer

On commémore un événement, la disparition d'un écrivain, d'un peintre, on se remet en mémoire les faits du passé, les dates importantes. On célèbre l'anniversaire d'une naissance. Dire qu'on « commémore un souvenir » est un pléonasme : « commémorer » et « se souvenir », c'est la même démarche.

Compte rendu

Pas de trait d'union dans « compte rendu » qui fait au pluriel « des comptes rendus ».

Conséquent

Ce terme signifie « logique dans sa conduite ». À tort, on lui donne le sens d'« important », « considérable ».

Cet avare conséquent ne donne jamais un sou de sa fortune considérable.

Côte, cote, cotte

Une « côte » difficile à grimper, une « côte » pleine de récifs, une « côte » de porc se prononcent avec un **ô** fermé, comme dans « hôte ».

Une « cote » en dessin industriel, une « cote » de tableau de maître, la « cote » du président de la République, tout cela se prononce avec un **o** ouvert comme dans « cocotte ».

La « cotte » de mailles ou la « cotte » du travailleur (salopette) suivent la prononciation de la deuxième partie de cocotte.

Le « cotte » est un poisson à large bouche, à grosse tête, et qui vit dans les eaux douces. On l'appelle aussi le chabot.

Coupe sombre

Si on veut exprimer une suppression massive, c'est « coupe claire » qu'on doit employer. Une coupe sombre, en forêt, est un léger éclaircissage.

Le ministre va effectuer des coupes claires chez les fonctionnaires.

Courbatu, courbaturé

Il y a longtemps, lorsqu'un cavalier était pressé, il utilisait pour accélérateur la cravache, ce qui avait pour effet d'endolorir le pauvre cheval fourbu à l'arrivée, battu de court, ou « courbatu ». L'adjectif a qualifié, chez l'humain, un état de fatigue accompagné de douleurs musculaires, les « courbatures ». Puis est né, au XIXe siècle, le verbe « courbaturer ». On peut donc dire, lorsqu'on a abusé de quelque sport que ce soit : *Je suis tout courbatu* ou bien *Je suis tout courbaturé,* la première formule étant la plus correcte (l'Académie n'a accepté « courbaturé » que récemment).

Crucial

Ce terme désigne l'élément décisif qui permet de confirmer ou d'infirmer une hypothèse.

On a mis en évidence des preuves cruciales.

À tort, on l'emploie pour qualifier un moment critique, fatal.

Cuisseau, cuissot

Le « cuisseau » est une partie du veau située en haut de la cuisse. Le « cuissot », c'est la cuisse d'un gros gibier : *un cuissot de cerf, un cuissot de sanglier.*

Dahlia

C'est en l'honneur du botaniste suédois Dahl que la fleur (originaire du Mexique) fut nommée ainsi. On met donc le

h avant le **l** : « da**hl**ia ». Un magnifique bloc-feuillet de timbres de collection représentant cette fleur, émis par la Poste en 1994, portait hélas l'orthographe « dalhias »…

Davantage, d'avantage

« Davantage » en un mot peut être remplacé par « plus », « encore plus » : *Si vous voulez que je produise davantage, il me faut davantage de temps.*
À « d'avantage » en deux mots, on peut substituer « d'intérêt », « de gain », « de profit » : *Je ne retire pas d'avantage de cette opération* ; « pas d' » peut aussi être remplacé par « aucun ».

Débuter

Le verbe « débuter » est intransitif, c'est-à-dire qu'on ne peut le faire suivre d'un complément d'objet direct. On ne dira donc pas : *Un lâcher de ballons a débuté la fête ;* mais : *La fête a débuté par un lâcher de ballons.*

Décade

Une « décade » dure dix jours (calendrier républicain), une « décennie » dure dix ans.

De concert

« De concert » définit une entente entre personnes. Ne pas confondre avec « de conserve » qui signifie « ensemble, conjointement ».

Ils ont agi de concert.

Ils vont de conserve au spectacle.

Décrépi

Un mur est décrépi (sens propre). *Un vieillard est décrépi**t*** (sens figuré). *Une vieille femme est décrépi**te.*** *Un chêne décrépit* (extension de sens).

Des femmes ridées, fatiguées, décrépites.

De façon que

Incorrect et lourd, le « de façon à ce que » qui se substitue parfois à « de façon que » est à éviter.

Toutes les mesures ont été prises de façon que (et non *de façon à ce que*) *les victimes soient indemnisées.*

Dégingandé

« Dégingandé » (dont la démarche est comme disloquée) se prononce « dé - jin - gandé » (« jin » comme dans « geindre »).

Délice

Au singulier, « délice » est masculin ; au pluriel, ce terme est féminin (sauf dans *un de mes grands délices*).

Demeure

Dans la locution : *Il y a péril en la demeure*, le terme « demeure » ne désigne pas la « maison », mais vient de l'ancien français « demuere », lui-même issu du latin « *demorari* », et signifiant « attente ». Il faut donc comprendre : *Il y a péril en l'attente*, autrement dit : *Il est dangereux de rester immobile, sans agir,* et non : *Il est dangereux de rester dans la maison…*

Demi

Devant un nom, « demi » est invariable et relié à celui-ci par un trait d'union (de même que « mi », « nu » et « semi »).
Après le nom, « demi » s'accorde (« mi », « nu », et « semi » aussi).
Une demi-heure.
Trois heures et demie.
Il est arrivé nu-pieds.

Démystifier, démythifier

« Mystifier quelqu'un », c'est le tromper. Le « démystifier », c'est faire l'opération inverse. C'est aussi dissiper le mystère qui plane autour de quelqu'un ou de quelque chose.

« Mythifier un homme, une idée », c'est leur ajouter un caractère de légende, les transformer en mythes. « Démythifier », c'est ôter l'extraordinaire du personnage ou de l'idée pour retrouver leur réalité ordinaire.
Les enquêteurs ont démystifié les victimes de l'escroc.
La police a démystifié la pluie de records sportifs de la saison dernière en confirmant les rumeurs de dopage.
Les récentes révélations sur la vie privée de cet homme politique contribuent à démythifier son action.
Ce biographe démythifie Napoléon en ne montrant que ses petitesses.

Depuis

Dans ses emplois spatiaux (c'est-à-dire ceux qui désignent des points de l'espace dans lequel on vit), « depuis » gagne souvent à être remplacé par « de », moins lourd : *Je t'appelle de ma voiture* (et non *depuis ma voiture*).

Derechef

Signifie « de nouveau » et non « sur-le-champ ».
Ayant raté son coup, il essaya derechef.

Désuet

Le **s** ne doit pas être prononcé **z**, « désuet » rimant avec « (il) suait ». On doit aussi entendre **s** et non **z** dans « dé**s**uétude ».

Détritus

On prononce « détritu - ss » au singulier et au pluriel. « Détritus » vient du participe passé latin « *detritus* » qui signifie « broyé, usé, écrasé ».

Dilemme

Le « dilemme » (qu'on écrit avec deux **m**) est un choix impératif entre deux propositions conduisant l'une et l'autre à de graves conséquences.

Ou bien Rodrigue tue le Comte, père de Chimène, et il perd Chimène, ou bien il se suicide et... il perd Chimène. C'est un dilemme ! (cornélien ici, puisque cette situation se trouve dans *Le Cid,* pièce de Corneille).

Dîner

« Dîner » prend un accent circonflexe sur le **i** et seulement un **n**. Il ne faut pas le confondre avec le « *dinner* » anglais (deux **n** et pas d'accent).

Dire

On écrit « Au dire de... » et non « Aux dires de... ».

Dont

« Avoir besoin de quelque chose, de quelqu'un » comporte une construction indirecte (présence de la préposition « de »). On doit donc dire : *Prenez ce dont vous avez besoin*

(le pronom relatif « dont » contient le « de » de la construction indirecte), et non : *Prenez ce que vous avez besoin* qui a tendance à se répandre.
On applique la même règle pour « avoir envie de » : *Dites-nous ce dont vous avez envie.*

Durant

« Durant » exprime une durée continue. « Pendant » marque une durée qui peut être interrompue.
Durant la semaine, il a été malade (c'est-à-dire toute la semaine).
Pendant le mois dernier, il a été malade trois fois.

Eh bien

Exprimant la surprise, l'étonnement, l'admiration, etc., l'interjection « eh bien ! » ne s'écrit jamais « et bien ! ».
Eh bien, c'est une précision utile !

S'égayer, s'égailler

« S'égayer » (s'ég - ai (è) – ier), c'est se rendre gai (cela rimerait avec « payer »).
« S'égailler » (s'ég - a (a) - iller), c'est s'éparpiller, se disperser, se débander (même sonorité que « empailler »).

E-mail

« E-mail » signifie « *electronic mail* », c'est-à-dire « courrier électronique » (ne pas oublier le trait d'union entre « e » et « mail ». Sinon, on peut lire « émail » qui fait, au pluriel, « émaux »...). L'e-mail désigne aussi l'adresse électronique. En France, on dit le plus souvent « mail » pour désigner un message électronique. Au Québec où l'on parle français et anglais, on est obligé de dire « e-mail » sinon on ne peut faire la différence avec « *mail* », courrier non électronique. Mais les Québécois qui ont une nette préférence pour les termes français ont inventé « courriel » (**courri**er **él**ectronique). Les Français ont, eux aussi, imaginé un mot qui évite l'emploi du terme anglais, mais s'en rapproche : le « mél » (**m**essage **él**ectronique). Alors, « e-mail », « mail », « courriel » ou bien « mél » ? Et si d'autres termes venaient damer le pion à ces quatre concurrents ? Par exemple « messagerie » (sous-entendu : messagerie électronique), ou bien « messages ». On les entend d'ailleurs de plus en plus souvent : *Je viens de lire mes messages. J'ai consulté ma messagerie*. C'est simple et clair, et c'est l'occasion de donner à des mots qui ont huit cents ans (ils ne les font pas !) une nouvelle jeunesse.

Embonpoint

Devant les lettres **m, b, p,** on écrit **m** et non **n** : *emmêler, emblavure, pompon, etc.,* sauf *bonbon, bonbonne, bonbonnière, embonpoint, néanmoins.*

Émigrant

Un Français qui s'installe au Québec est un « émigrant » pour ceux qu'il quitte, et un « immigrant » pour ceux qui l'accueillent.

S'ensuivre

Au passé composé de ce verbe, on trouve, de plus en plus souvent, l'auxiliaire être entre le préfixe (alors détaché) et le reste du verbe : « Il s'en est suivi que… » alors que la conjugaison correcte est : « Il s'est ensuivi que… » (pour quelle raison détacher le préfixe ?).

Enivrer

« Enivrer » se prononce « an - ni - vrer » et non « é - ni - vrer » (même règle pour le début d'« **en**ivrant » et d'« **en**ivrement »).

Entrain

L'« entrain » en un seul mot, c'est l'ardeur, l'énergie. Dans la locution verbale « être en train de », « en » et « train » sont séparés.

Éphélides

On appelle « éphélides » les taches de rousseur ou de son qui ajoutent au charme des blond(es), des roux(sses), et finalement de qui que ce soit…

Espèce

On dit : « Une espèce de… » car « espèce » est du féminin (et non : « Un espèce de… »).
Une espèce de chanteur animait la soirée.

Étant donné...

Placé avant le nom auquel il se rapporte, « étant donné » demeure invariable : *Étant donné ces éléments nouveaux… Étant donné les trois solutions proposées…*
Placée après le nom, cette expression s'accorde : *Ces solutions étant données…* « (Non) compris », « excepté », « mis à part », « passé » suivent la même règle.
Cette location, non compris les charges…
Cette location, les charges comprises…
Excepté les vestes et les pantalons gris, tout doit être proposé aux clients.
Les vestes et les pantalons gris exceptés, tout a été rangé.

...et autres...

Cette locution n'annonce pas le dernier terme d'une énumération mais la catégorie dans laquelle se classe tout ce que l'on vient d'énumérer.

Les carottes, poireaux, choux et autres légumes.

Les écrivains, peintres, sculpteurs et autres artistes.

Les Citroën, Renault, Peugeot et autres voitures (et non *les Citroën, Renault et autres Peugeot).*

Etc.

« Etc. » est l'abréviation de la locution latine *« et cetera »* signifiant « et tout le reste ». On doit donc bien prononcer « ètcétéra » et non comme on peut l'entendre « èqucétéra ». De plus, « etc. » doit être suivi d'un seul point et non de trois points de suspension.

Été indien

L'été indien (aux États-Unis et au Canada, on dit « l'été des Indiens ») est une courte période de 4 ou 5 jours de réchauffement (24-28 degrés) après une période de décroissance thermique continue jusqu'à 16-18 degrés (les Indiens en profitaient alors pour faire leurs dernières chasses). Il se situe à des moments différents d'une année à l'autre et d'un endroit à l'autre. Il est carrément absent certaines années. Cet « été indien » est la dernière bouffée de chaleur avant l'hiver. Il ne faut pas le confondre avec les chaleurs de fin d'été, ce qu'on appelle l'arrière-saison. Cependant, il peut coïncider avec l'été de la Saint-Martin, ultimes belles journées aux environs du 11 novembre (jour de la saint Martin).

Étymologie

« É**ty**mologie » (étude de l'origine des mots) ne prend pas de **h** entre le **t** et le **y**.

Euro et cent

Désormais, la monnaie unique en France s'appelle l'euro ; elle est subdivisée en 100 cents. On peut employer le terme « eurocent » qui figure sur les six plus petites pièces de monnaie en « euro » au lieu de « cent », pour éviter toute confusion avec les pièces en dollar américain. D'autre part, on peut utiliser le mot « centime(s) » dans la langue courante, ou bien « centime(s) d'euro ».

Pour ce qui concerne l'emploi de la majuscule, les mots « euro » et « cent » se comportent comme des noms communs ordinaires. Le mot « euro » (ou « cent ») ne prend donc une majuscule que s'il commence une phrase. En revanche, en allemand, « Euro » commence toujours par une majuscule.

Au pluriel, « euro » et « cent » sont soumis aux règles de la grammaire française : s'ils varient en nombre, ils prennent

un **s**. On écrit donc : *un euro, cent euros, des euros ; un cent, cent cents, des cents* (ou *centimes*).
Cependant, sur les billets de banque le mot EURO, et sur les pièces le mot EUROCENT, sont toujours écrits en capitales et sans le **s** du pluriel, car ces billets et ces pièces circulent dans les pays de la zone euro où la règle d'accord du pluriel n'est pas forcément la même que la règle française.

Euro et liaison

À l'oral, les francs se moquaient de l'accord des adjectifs numéraux cardinaux. On pouvait dire, en effet, « quatre-vingts francs » sans se demander s'il fallait mettre un **s** ou non à « vingt », la liaison avec « francs » n'étant pas possible. Avec l'« euro » qui commence par une voyelle, tout change et il faut d'urgence réviser les règles concernant « vingt » et « cent » qui varient au pluriel s'ils ne sont suivis d'aucun adjectif numéral cardinal. Entre « quatre-vingts » et « euros », on doit entendre le son **z** de la liaison : « quatre-vingts - z - euros ». De même, on dira « deux cents - z - euros ».
Si « vingt » ou « cent » ne sont pas multipliés, il est préférable de faire la liaison avec le **t** plutôt que de n'en pas faire du tout et de produire ainsi un hiatus désagréable : « vingt - t - euros » est plus facile à dire que « vingt (absence de liaison) euros ». Attention, on ne dit jamais « vingt - z - euros ». La règle est la même avec « cent » : « deux cents - z -

euros », mais « cent - t - euros » (et non le tentant « cent - z - euros »).
La liaison doit être faite avec les autres consonnes terminant les adjectifs numéraux cardinaux : « un - n - euro », « deux - z - euros », « vingt-deux - z - euros », etc.

Événement

Même si plusieurs dictionnaires proposent les deux orthographes « événement » et « évènement », même si le Conseil supérieur de la langue française précise dans : *Les rectifications de l'orthographe*, en 1990 que l'« événement » devient l'« évènement » (quel événement !), force est de constater que dans 99,9 % des cas, c'est « événement », avec deux accents aigus, qu'on voit écrit dans les journaux, dans les livres, sur les imprimés, dans les textes publicitaires, bref, partout ou presque.
Il semble que l'usage apporte la sage réponse suivante aux simplifications de l'orthographe : « Une orthographe, c'est déjà compliqué à retenir, mais deux, est-ce bien raisonnable ? »
Les militants de l'accent grave sur le deuxième **e** affirment faire preuve de logique, considérant la ressemblance avec l'orthographe d'« avènement ». Une autre logique eût consisté à laisser intact le mot « événement » et à conseiller de suivre la prononciation indiquée par les deux accents aigus. Un arbitraire en vaut bien un autre...

Extrême

Le nom « extrême » étant du genre masculin, on passe « d'un extrême à l'autre ».

Extrêmement, excessivement

Le premier adverbe indique le degré le plus intense. Le second doit être employé seulement lorsqu'il y a dépassement de ce degré, lorsqu'il y a excès.
Il fait extrêmement beau aujourd'hui ; hier, il faisait excessivement chaud.

Fabricant

Un « fabricant » est celui qui fabrique des produits divers, destinés à la vente ; « fabriquant » est le participe présent du verbe « fabriquer ».
En fabriquant plus rapidement ses objets, le fabricant s'est enrichi.

Faîte

Le « fa**î**te » (le sommet) et ses dérivés prennent un accent circonflexe sur le **i**. La conjugaison « vous fa**i**tes » n'en prend pas.

Faute

On peut dire : « C'est ta faute » ou bien : « C'est de ta faute », quoique l'Académie recommande la première formule, sans la préposition.

Filtre, philtre

Un « filtre » sert à retenir les impuretés contenues dans un liquide, ou bien à faire un bon café. Un « philtre » est un breuvage dont la composition est mystérieuse, et qui provoque instantanément les symptômes de la passion amoureuse.

En littérature, la victime la plus célèbre du « philtre d'amour » est Tristan qui, absorbant par erreur le breuvage magique destiné au futur mari d'Iseut, tombe amoureux de celle-ci. Amour réciproque qui conduit au fameux : « Ni vous sans moi, ni moi sans vous. » Voulez-vous la suite de l'histoire ? Lisez leur roman…

Final

Il n'est guère finaud de donner à l'adjectif « final » le masculin pluriel « finaux », car ce masculin pluriel est tout simplement « finals ».

Nous attendons les résultats finals.

For intérieur

Dans l'expression « for intérieur », le premier mot étant l'abréviation de « *forum* » (« tribunal » en latin), s'écrit « for » (et non « fort »). « For intérieur » signifie donc « tribunal intérieur », siège de la conscience qui élabore ses jugements : *Dans mon for intérieur, je savais que j'avais tort.* Il ne faut pas confondre « for » et « fors » qui signifie « excepté » : *Tout est perdu, fors l'honneur,* dit François Ier, au soir de la bataille de Pavie où il fut fait prisonnier, en 1525, par les troupes de Charles-Quint.

Forsythia

On doit l'orthographe de cet arbrisseau décoratif, à fleurs jaunes très précoces, à l'horticulteur écossais Forsyth (1737-1804). On prononce « for - si - sia ».

Fréquences

Quotidien (chaque jour). *Bihebdomadaire* (deux fois par semaine). *Hebdomadaire* (chaque semaine). *Bimensuel* (deux fois par mois). *Mensuel* (chaque mois). *Bimestriel* (tous les deux mois). *Trimestriel* (tous les trois mois). *Semestriel* (tous les six mois, ou d'une durée de six mois). *Annuel* (chaque année, ou d'une durée d'un an). *Bisannuel* (tous les deux ans). *Biennal* (tous les deux ans, ou d'une durée de deux ans). *Triennal* (trois ans). *Quadriennal* (quatre ans). *Quinquennal* (cinq ans). *Décennal* (dix ans).

Fruste

C'est l'état de ce qui a été frotté, et dont le relief a presque disparu. Cela ne peut donc qualifier un personnage grossier. Il faut employer « rustre » pour désigner l'inculte et le rude, et se garder d'utiliser le barbarisme « frustre », hybride de « fruste », « rude » et « rustre ».

Gâchette

Ce n'est pas la « gâchette » que presse le tireur lorsqu'il utilise un fusil ou un pistolet, mais la « détente ». La gâchette maintient le chien armé et, en général, n'est pas visible.

Gageure

La « gageure » est un pari un peu fou. On prononce « ga - j**u**re » et non « ga - jeure ».
Même règle pour « mangeure » (endroit mangé d'un pain, d'un tissu) ou « vergeure » (terme technique dans la fabrication du papier).

Gaufre

Au sucre, à la confiture, à la crème Chantilly (ou chantilly), la gaufre ne prend qu'un **f**, de même que « gaufrette », « gaufrier ».

Geai, jais

Le « geai » est un bel oiseau au plumage brun clair, tacheté de bleu, de blanc et de noir.
Le « jais » est une variété de lignite d'un noir brillant. « Noir de jais » signifie donc que ce dont on parle est noir brillant comme le jais (et non comme le geai qui ne l'est guère).
Ses cheveux étaient de jais.

Gent

Le nom commun « gent » (que l'on prononce « Jean » comme le prénom) est féminin et désigne une race, une classe, une catégorie, une nation… Ainsi, « la gent féline » désigne les chats, les tigres et autres félins. La Fontaine, dans *Le chat et le Vieux Rat,* utilise la périphrase « la gent trotte-menu » lorsqu'il parle des souris. Certains confondent le nom « gent » et l'adjectif « gent », terme d'ancien français équivalant à « noble », « courtois », « bien né ». Ainsi, on parlait d'un « gent » damoiseau, ou d'une « gente » dame. Cette confusion entre « la gent » (Jean) et l'adjectif féminin « gente » (qui se prononce comme une « jante ») produit l'expression fautive « la gente féminine » (« jante » féminine, cela fait un peu « pneu » !). On doit dire « la gent féminine », même si on sait qu'elle est composée de « gentes » dames et demoiselles…

Gisant, orant

« Gisant » est le participe présent du verbe défectif « gésir ». Un « gisant » est un monument funéraire représentant un personnage allongé (qui « gît »). Ce terme a pour contraire « orant » (de « *orare* » en latin : « prier ») désignant un personnage à genoux, en prière.

Glaciaire

« Glaciaire », l'adjectif désignant une période géologique, ne doit pas être confondu avec le nom « glacière », la volumineuse boîte aux couleurs vives dans laquelle le campeur conserve sa nourriture au frais.

Glu

La « glu » est une sorte de colle, et ne prend pas de **e** final.

Goitre, goitreux

Un « goitre » (« gorge » en grec) est la conséquence d'une augmentation de volume de la glande thyroïde. La base de la gorge apparaît alors gonflée. Ni « goitre » ni l'adjectif dérivé « goitreux » ne prennent d'accent circonflexe sur le **i**.

Grand

Lorsqu'il est suivi d'un nom féminin pluriel, l'adjectif « grand » peut être accordé ou rester au singulier : *des grand(s)-mères, des grand(s)-tantes, des grand(s)-routes.*

On écrit : *des grands-pères, des grands-parents* (toujours au pluriel), *des grands-ducs.* « Arrière », dans les noms composés, est toujours invariable, et toujours suivi d'un trait d'union : *des arrière-grands-pères.*

H aspiré

Un petit signe, dans le dictionnaire (astérisque par exemple) est placé avant ou après le mot (ou avant son écriture phonétique) dont le **h** est aspiré. Cela signifie qu'il ne faut en aucun cas faire la liaison ou élider.

Les handicapés (et non *les - z - handicapés*, le **h** de « handicapés » étant aspiré).

On ne tient pas compte du **h** muet dans la prononciation.

Deux cents - z - hélicoptères. Quatre-vingts - z - habitants (et non *quatre-vingts* [sans liaison] *habitants*, le **h** de « habitants » étant muet).

Haler, hâler

« Haler », c'est tirer avec un cordage (*haler une péniche sur le chemin de halage*).

« Hâler », c'est « bronzer » au soleil.

Hiberner, hiverner

La marmotte « hiberne », engourdie pendant les mois les plus froids.

« Hiverner », c'est passer l'hiver au chaud, à l'abri des intempéries.

Hurler

Le **h** de « hurler » est aspiré, cela signifie qu'en aucun cas on ne doit faire la liaison avec ce qui le précède. On dira donc, lorsqu'on a une raison suffisante pour le faire : *je hurle* en détachant nettement le « je » de « hurle », et non *j'hurle*. Même remarque pour *je hurlais, je hurlerai* (ne pas prononcer *j'hurlais, j'hurlerai*), etc. Au pluriel, la liaison avec le **s** de « ils » ou de « elles » ne doit pas être faite : *elles hurlent* ne se prononce pas *elles - z - hurlent*, mais *elles* (absence de liaison) *hurlent*.

Hymne

On dit « un hymne national », mais « une hymne religieuse ».

Idéals, idéaux

Le mot « idéal » possède deux pluriels : « idéals » et « idéaux ». Le premier est utilisé dans la langue littéraire lorsque la perfection d'un objet ou d'un être est projetée dans l'absolu : *Les poètes imaginent souvent des idéals féminins inexistants.* On emploie « idéaux » dans le vocabulaire des sciences et de la philosophie : *Les idéaux sociaux imaginés par les utopistes du XIXe siècle ne sont pas pour demain.*

Ignorer

Attention à la double négation. Deux négations équivalent à une affirmation. Ainsi, *Vous n'êtes pas sans ignorer que…* signifie : *Vous ignorez que…* ; alors que : *Vous n'êtes pas sans savoir que…* signifie : *Vous savez que…*

Imbécile

…mais « imbécillité » (deux **l**), même si des dictionnaires en mal de nouveauté commerciale indiquent les deux orthographes « imbécilité » et « imbécillité ». Le mot « imbécilité » (avec un seul **l**) n'est qu'une proposition, parmi d'autres, du Conseil supérieur de la langue française pour une prétendue simplification de l'orthographe ; l'Académie française a bien précisé que ce serait l'usage qui déciderait, et dans l'immense majorité des cas, l'usage est très attaché à une orthographe unique (à quoi bon deux orthographes ?).

On écrit *charrette*, mais *chariot ;* consonne, mais *consonance ;* honneur, mais *honorer ;* résonner, mais *résonance ;* traditionnel, mais *traditionaliste ;* trappe, mais *attraper*.

Immanquable

La première syllabe d'« immanquable » et « immanquablement » se prononce **in** (comme dans « vin ») et non **imm** (comme dans « immunité »).

Immoral, amoral

Agir contre la morale tout en la connaissant, c'est être « immoral ».
Agir contre la morale en n'en ayant aucune notion, ou en y étant indifférent, c'est être « amoral ».

Impôts

Chaque année, ce n'est pas une « déclaration d'impôts » qu'on doit faire, mais une « déclaration de revenus ». On déclare ses « revenus » et non ses « impôts ».

Intérêt

« Intérêt » ne prend qu'un **r**, de même qu' « inté**r**essant », « inté**r**esser », « inté**r**essement » et autres dérivés.

Internet

« Internet » (sans déterminant, et avec une majuscule) ou « l'internet » (avec un déterminant, et sans majuscule) ?
La commission générale de terminologie et de néologie recommande l'emploi de « l'internet » dans tous les cas, transformant ainsi le nom propre en nom commun qui désigne un outil de communication et d'information parmi d'autres.
Cette recommandation semble peu suivie, « Internet » (sans déterminant et avec une majuscule) l'emporte nettement dans les textes spécialisés, publicitaires, informatifs, etc.

L'article défini élidé « l' » qui avait fait une docile apparition il y a deux ans devient rare à l'oral et à l'écrit.

On peut toutefois remarquer que certains établissent une distinction entre « l'internet » désignant l'outil proprement dit dans ses applications quotidiennes, et « Internet » dont l'acception s'étend au système tout entier depuis son apparition.

Une liste de recommandations concernant le « vocabulaire de l'informatique et de l'internet » a été publiée au *Journal officiel* du 16 mars 1999. On peut la consulter sur le site : http ://www.internet.gouv.fr

Interrogation

« Qu'est-ce qui… ? », « Qu'est-ce que… ? » doivent être transformés, dans l'interrogation indirecte en « …ce qui… », «…ce que… ».

On ne dira donc pas : *On se demande qu'est-ce qu'il faut faire,* mais : *On se demande ce qu'il faut faire…*

Qu'est-ce que tu veux ? devient : *Je te demande ce que tu veux* (et non *Je te demande qu'est-ce que tu veux*).

Jadis et naguère

« Jadis » signifie il y a beaucoup de jours, et renvoie loin dans le temps.

« Naguère » fait référence à un passé proche, c'est la contraction de : « Il n'y a guère… »

Juin

On prononce « ju - in », et non « jouin » qui est patoisant et ambigu.

Lequel

Il faut avoir en tête le terme qu'on vient de prononcer (l'antécédent) afin d'accorder correctement « lequel », trop souvent employé tel quel dans tous les contextes. « Lequel » s'accorde avec cet antécédent, il en prend la marque du genre et du nombre.

Ce sont des affaires importantes pour lesquelles une enquête est menée.

Linguiste

On prononce « lin - gu (comme aigu) - iste » et « lin - gu - istique) », et non « lin - gouiste » ou « lingouistique ».

Lumbago

Même si la douleur est intense, on dit « lon - ba - go » et non « lun - ba - go »...

Majuscule

On écrit : *un **F**rançais*, mais *un routier **f**rançais ; un **A**llemand*, mais *un charcutier **a**llemand ;* un **A**nglais, mais *un cuisinier **a**nglais ;* un **E**spagnol, mais *un pêcheur **e**spa-*

gnol; un **I**talien, mais *un séducteur **i**talien;* un **S**uisse, mais *un fromager **s**uisse.*

Malin

Même si Rimbaud a donné pour titre à l'un de ses sonnets *La Maline*, même s'il emploie à plusieurs reprises l'adverbe « malinement », même si Verlaine en fait autant une ou deux fois, même si d'autres l'emploient de temps en temps, le féminin de « malin » est bien « maligne », et non « maline » qui appartient aux approximations de l'oral (volontairement utilisées par les auteurs). On peut trouver l'orthographe « Malines », mais c'est un nom propre désignant une ville de Belgique.
Le nom tiré de « malin » est la « malignité ».

Marocain, maroquin

« Marocain » est le qualificatif dérivé de Maroc.
Le « maroquin » est un cuir de chèvre tanné. Par synecdoque, un « maroquin » désigne aussi un portefeuille ministériel.

Mari, marri

Un « mari », c'est l'homme que choisit une femme, en principe pour la vie. Mais, s'il est abandonné par ladite femme, le mari devient « marri », c'est-à-dire « contrarié, désolé, attristé », et même « affligé », en principe…

Martyr, martyre

Le « martyr » est le supplicié.
Le « martyre » est le supplice.

Médias

Il y eut d'abord « mass media », composé franco-latin qui, employé dans la langue anglaise, signifiait « moyens de communication de masse ». Puis, lorsque l'expression s'est installée en France, on n'a pas tardé à l'amputer de « mass », pour ne conserver que « media », pluriel sans accent. Un peu plus tard, on a vu apparaître les « médias », avec accent et marque du pluriel. Enfin, malgré les latinistes puristes qui eussent préféré qu'on écrivît et qu'on dît « un medium », et même qu'on le prononçât à la latine : « médioum » (singulier du pluriel latin « *media* »), le « média » s'est installé dans le langage, il désigne n'importe quel moyen de communication.

Meurtre, assassinat

Un « meurtre » est un crime commis sans préméditation.
Un « assassinat » est un crime commis avec préméditation.

Mille

L'adjectif numéral cardinal « mille » (1 000) est invariable.
L'unité de mesure « un mille » (1 852 mètres pour le mille marin, autrement appelé le « mille nautique » ou le « nau-

tique », 1 481,5 mètres pour l'antique « mille romain » de mille pas) est un nom commun et s'accorde.

Le « mile anglais » (prononcer : « ma - ï – l » – comme dans aïe ! – 1 609 mètres) prend un **s** au pluriel. Au Québec (mais seulement là-bas), on peut écrire « mille anglais » pour « mile anglais ».

Trois mille (3 000) personnes sont venues.

Le bateau est à trois milles (trois fois 1 852 mètres) de la côte.

L'athlète Smith a couvert trois miles (trois fois 1 609 mètres) en un temps record.

Moelle

Le nom « moelle » doit être prononcé « moual » et non « mouèl » (même règle pour « moelleux », « moellon »).

Mœurs

On peut prononcer « mœurs » en faisant entendre le **s** final (ce qui rapproche ce terme de son origine latine « *mores* », *cf.* « *O tempora ! o mores !* » de Cicéron s'attristant des perversions de son époque). Cependant, en poésie, et dans la langue soutenue, c'est la prononciation « meur » qui l'emporte.

Moyen Âge

On écrit avec des majuscules « le Moyen Âge », mais « moyenâgeux » s'écrit en un seul mot et sans majuscule.

Muses

Une « muse » sans majuscule est une inspiratrice en général. Une « Muse » avec majuscule fait partie des neuf filles de Mnémosyne, la déesse grecque de la Mémoire.

Clio est la Muse de l'Histoire.

L'épouse de cet écrivain était aussi sa muse.

Notre, nôtre

« Notre », l'adjectif possessif, doit être prononcé avec un **o** ouvert comme dans « porte » lorsqu'il détermine un nom.

Notre porte vous est ouverte.

Cet adjectif possessif peut prendre un accent circonflexe sur le **o** (prononciation **o** fermé comme dans « apôtre ») lorsque, employé sans article, il joue le rôle d'adjectif qualificatif.

Nous avons fait nôtre cette opinion.

« Le nôtre », pronom possessif, se prononce aussi avec un **ô** fermé.

Voici vos dossiers, voilà les nôtres.

Ces règles sont applicables aussi à « v**o**tre » et « v**ô**tre ».

Ce qu'il faut éviter surtout, c'est la prononciation **ô** fermé pour « notre » ou « votre » devant un nom.

*Nous avons trouvé v**o**tre* (**o** de « porte ») *dossier* (et non « v**ô**tre » dossier).

Obnubiler

Curieusement, le verbe « obnubiler » se déforme parfois dans ses premières syllabes qui deviennent : « omni », et dans ses dernières qui se transforment en « buller », ce qui signifierait « buller partout », c'est-à-dire : ne rien faire. Quittons ce petit délire sémantique pour revenir au sérieux de l'étymologie : le verbe « obnubiler » vient de « *ob* » qui signifie « devant » en latin et de « *nubes* » désignant les nuages. Être « obnubilé » par quelque chose ou quelqu'un, c'est donc avoir l'esprit occupé jusqu'à l'obsession par une idée, un projet, comme si des nuées masquaient tout ce qui existe autour : le ciel, la lumière, les arbres, la forêt, les sources d'eau fraîche, les petits oiseaux…

Occurrence

Le mot « o**cc**u**rr**ence » prend deux **c** et deux **r**. Il ne faut pas le confondre avec « récurrence » ou « concurrence » qui ne prennent qu'un **c** (mais deux **r**).

Œdipe

Œ se prononce **é** et non **eu**. C'est l'attraction des mots « œuf » et « œuvre » qui a perverti la prononciation du **œ** de **Œ**dipe, transformant « édipe » – prononciation correcte

– en « eudipe » – prononciation fautive. Plutôt que de se désavouer, ceux qui utilisent la prononciation erronée se justifient en inventant des raisons étymologiques peu convaincantes. Les dictionnaires, parfois hélas, les suivent. Il en est de même pour ***œ**cuménique* (« **é**cuménique »), ***œ**dème* (« **é**dème »), ***œ**nologie* (« **é**nologie »), ***œ**nologue* (« **é**nologue »), ***œ**sophage* (« **é**sophage ») et leurs dérivés. Même règle aussi pour *f**œ**tus* (« f**é**tus »).

Œstrus

La prononciation d'« œstrus » ne suit pas la règle précédente, on doit dire « èstrus » (se garder de dire « eu - strus »). Il en est de même pour ***œ**strogène* (« **è**strogène ») et autres mots dérivés.

...ote

Voici les mots les plus courants terminés par **ote :** *anecdo**te**, antido**te**, azo**te**, ballo**te**, belo**te**, bergamo**te**, camelo**te**, capo**te**, compo**te**, coyo**te**, déco**te**, despo**te**, dévo**te**, échalo**te**, galio**te**, gargo**te**, gnogno**te**, homozygo**te**, idio**te**, jugeo**te**, lépio**te**, lito**te**, matelo**te**, monozygo**te**, paillo**te**, papillo**te**, parlo**te**, patrio**te**, pelo**te**, petio**te**, pilo**te**, pleuro**te**, popo**te**, ravigo**te**, redingo**te**, ribo**te**, rigolo**te**, saperlo**te**, tremblo**te**, vo**te**.*

...otte

Voici les mots les plus courants terminés par **otte :** *biscotte, bougeotte, bouillotte, boulotte, cagnotte, calotte, cancoillotte, carotte, charlotte, chochotte, cocotte, culotte, gavotte, gélinotte, gibelotte, glotte, griotte, hotte, hulotte, linotte, lotte, marmotte, marotte, mascotte, menotte, motte, pâlotte, polyglotte, quenotte, roulotte, vieillotte.*

...otter

Quelques verbes courants terminés par **otter :** *ballotter, boulotter, calotter, carotter, crotter, culotter, dégotter, frisotter, flotter, frotter, garrotter, grelotter, trotter* (la plupart des verbes en **ot[t]er** ne prennent qu'un seul **t**).

Ou, où

« Ou » s'écrit sans accent quand on peut le remplacer par « ou bien », sinon, on l'écrit « où ».

Œuf, bœuf

Un « œuf », des « œufs » (on prononce des « eu », une douzaine d'« eu » et non d'« euf »).
Un « bœuf », des « bœufs » (on prononce des « beu », un troupeau de « beu » et non de « beuf »).

Œuvre

Une « œuvre » est la production d'un artiste, d'un écrivain.

Un « œuvre » est la totalité de la production d'un artiste utilisant une technique particulière (gravure, peinture, musique...).
Ce tableau est une œuvre de Rembrandt.
L'œuvre peint de Michel-Ange égale-t-il son œuvre sculpté ?

Opportunité

L'« opportunité » caractérise ce qui vient à propos, ce qui convient dans un cas précis. On parle ainsi de l'« opportunité d'une démarche », de l' « opportunité d'un discours ». De plus en plus, le sens d' « opportunité » recouvre à tort celui d'« occasion » au point de le supplanter. Cela est dû au fait qu'en anglais « *opportunity* » signifie « occasion », la ressemblance avec « opportunité » est responsable de ce glissement de sens qu'il est préférable de ne pas suivre.
*Le transport étant gratuit, j'ai profité de l'occasion (*et non *de l'opportunité) qui m'était offerte.*

Orgue

« Orgue » est du genre masculin au singulier et au pluriel. Avec l'emploi du féminin pluriel (*les grandes orgues*), c'est la dimension de l'instrument qui est évoquée, et parfois, en même temps, sa capacité à émouvoir.

Orthodontiste

L'« orthodontiste » (du grec « *odontos* » : dent), spécialiste de l'orthodontie, corrige, s'il en est besoin, la position des dents. Ce n'est pas une raison pour le transformer en « orthodentiste »...

Osciller

« Osciller » se prononce « o - si - ler » (et non « osciller » qui rimerait avec « vriller »). Même prononciation pour « oscillation » (« o - si - la - tion ») et autres dérivés.

Oto-rhino-laryngologiste

Vous avez mal aux oreilles (oto), au nez (rhino) ou à la gorge (larynx), allez donc consulter un « oto-rhino-laryngologiste », vous remarquerez sur sa plaque, cette orthographe qui ressemble à un rhume interminable, avec, pour l'image des éternuements, les deux traits d'union...

Palier

Le « pa**l**ier », cette plate-forme entre deux escaliers, ne prend qu'un **l**, comme dans p**l**ate-forme...

Pallier

Le verbe pallier – deux **l** – qui signifie remédier à, est transitif direct, c'est-à-dire que le complément n'est pas précédé de la préposition « à ».

On dira donc « pallier quelque chose », et non « pallier à quelque chose ».
Les subventions pallient la mauvaise récolte.

Paracentèse

Cette opération qui consiste à réaliser une ponction de liquide dans une partie du corps (paracentèse du tympan, par exemple) ne s'écrit en aucun cas « parasynthèse » ; « paracentèse » vient du grec « *parakentesis* » signifiant « ponction ».
Le terme « parasynthèse » est réservé à la linguistique et désigne l'ajout d'un préfixe ou d'un suffixe à une base. « Immanquable » est issu d'une parasynthèse à partir de la base verbale « manquer ».

Par contre

Cette locution aux sonorités peu harmonieuses comporte presque autant de partisans que d'adversaires. Ceux-ci l'accusent de n'être qu'un mauvais mariage de deux prépositions donnant un couple balourd, inélégant qui blesse l'oreille et la vue ; ils militent pour l'emploi de « en revanche ». Ceux-là disent qu'il faut de tout pour faire un monde, que le couple « par contre » n'est pas si balourd que ça, et que l'utilisation d'« en revanche » peut se révéler explosive.

Ainsi, André Gide (1869-1951) avance ce cas extrême : *Trouveriez-vous décent qu'une femme vous dise : « Mon frère et mon mari sont revenus saufs de la guerre, en revanche, j'y ai perdu mes deux fils. »*
On peut lui objecter que, dans ce cas, l'emploi de « par contre » n'est guère plus heureux. C'est sa phrase qui sent le mauvais goût. Que faire alors ? Beaucoup d'auteurs, même les bons, ont employé « par contre », beaucoup d'autres ne veulent pas en entendre parler. Finalement, vous êtes libre…

Pardonner

On pardonne les erreurs que quelqu'un a commises, mais on ne pardonne pas quelqu'un : la préposition « à » est nécessaire entre le verbe pardonner et celui qui est le bénéficiaire de ce pardon. On pardonne donc à quelqu'un ses erreurs.

Passé

Considéré comme une préposition en tête de phrase, « passé » est invariable lorsqu'il est employé sans auxiliaire et immédiatement devant le nom qu'il qualifie : *Passé la trentaine, il est utile de réviser l'accord des participes passés.*

Pataquès

Le mot « pataquès » est né de l'expression : « Je ne sais pas - t - à qu'est-ce » où on remarque une liaison fautive. Un « pataquès » désigne donc une mauvaise liaison : *Les bons - z - hasards font les grands - z - héros*. Par extension, le « pataquès » désigne une faute de langage grossière, ou bien, au sens figuré, une situation qui manque de clarté, de logique. Toute autre utilisation de « pataquès » dans un sens différent demeure incertaine, voire fautive.

Pécuniaire

Cet adjectif qualifie ce qui a rapport à l'argent. Sa terminaison peut laisser croire que le masculin est « pécunier ». Il n'en est rien : au masculin, on doit dire aussi « pécuniaire ». *J'ai encore des ennuis pécuniaires.*

Pétiole

Cette partie de la feuille se prononce « pé - siol », et non « pé - tiol ».

Pineau, pinot

Le « pineau » est un vin de liqueur qui est originaire des Charentes.

Le « pinot » est un cépage français cultivé notamment en Bourgogne.

Plain

« Plain » a donné « plaine » et signifie « uni », « plat ». Il est utilisé dans « plain-chant » (chant religieux du Moyen Âge, à une voix), et dans « plain-pied » qui a pour sens « au même niveau ».

Une entrée de plain-pied (et non *de plein-pied*).

Plastic, plastique

Le « plastic » est un explosif.

Le « plastique » est la matière plastique qui sert à fabriquer de multiples objets.

Plinthe

Une « plinthe » est une étroite bande de moquette, de carrelage, de bois, etc., que l'on place au bas d'un mur, d'une colonne. La « plainte » qui se prononce de façon identique vient du verbe « plaindre ».

Poêle

Le « poêle », appareil de chauffage, ou la « poêle », ustensile de cuisine – et leurs dérivés – se prononcent « poual » (comme un « poil ») et non « pouèl ».

Points cardinaux

Les points cardinaux (nord, est, sud, ouest) sont des noms invariables et s'écrivent avec une minuscule.

La Bretagne est battue par les vents d'ouest. Son compas le conduit vers le nord. L'île de Rhodes est située au sud-est de la Grèce.

Cependant, lorsqu'ils désignent une zone géographique, ils prennent une majuscule.

Lilloise, elle n'a jamais quitté le Nord (mais on met une minuscule si « nord » a un complément : *...elle n'a jamais quitté le nord de la France*). *Il a exploré le pôle Sud ; maintenant, il vit en Amérique du Nord. Peut-être retournera-t-il dans l'hémisphère Sud.*

Policlinique, polyclinique

Une « policlinique » (« *polis* » en grec signifie « ville ») est une clinique municipale où sont proposés des soins sans hospitalisation.

Une « polyclinique » (du grec « *poly* » qui signifie « plusieurs ») est une clinique où l'on soigne plusieurs sortes de maladies.

Pommes

« Tomber dans les pommes » est la déformation de « tomber dans les pâmes », le terme « pâmes » étant lui-même dérivé de « spasme », convulsion qui peut accompagner l'évanouissement.

Ponctuation

Les doutes, en ponctuation, portent souvent sur l'emploi de la virgule. Voici quelques précisions la concernant : elle sépare toujours un complément circonstanciel placé en tête de phrase du verbe auquel il se rapporte. Elle sépare les termes d'une énumération, met en relief l'apposition ou l'apostrophe. Elle précède les conjonctions de coordination « car », « donc », « mais ». Elle précède « et » lorsqu'il unit des propositions de nature différente, ou lorsqu'on perçoit dans la phrase une discontinuité (par exemple lorsque « et » coordonne des éléments qui ne le précèdent pas directement) : *Ils séjournent au Mexique un mois ou deux, et ils reviennent par Montréal.*

On n'emploie pas la virgule avant « et » lorsque les éléments coordonnés sont très proches et de même nature : *Le matin, je mange des céréales et des kiwis.* La règle est la même pour « ou » et « ni » : *Mon médecin ne m'autorise que les pâtes ou le riz.*

Potron-minet

Dès « potron-minet » signifie : dès que le chat montre son derrière, c'est-à-dire, « dès l'aube ». On emploie aussi, pour désigner plaisamment les premiers moments du jour : « dès potron-jaquet », le « jaquet » (sans **c**) étant l'écureuil. La véritable origine de l'expression serait, selon le Littré, « dès le paître au minet », ou « dès le paître au jaquet », c'est-à-dire, dès que le chat ou l'écureuil vont au paître.

Prégnant

La prononciation de « prégnant » (ce qui est « prégnant » s'impose à l'esprit) – ou de « prégnance » – diffère selon le dictionnaire auquel on se réfère. Pour l'un, on doit dissocier le **g** et le **n**, comme dans « stag - nant » ou « pug - nace », pour l'autre, on doit les associer, comme dans « imprégnant » ou « grognant ». La plus ancienne prononciation est la première, la seconde date des années soixante.

Prémices, prémisse

« Prémices » s'emploie au pluriel et désigne les premiers produits de la terre, les premiers nés du troupeau (offerts à leurs divinités par les peuples de l'Antiquité) ; c'est aussi un début, un commencement : *les prémices de l'automne ; les prémices du génie.*

« Prémisse » désigne chacune des deux propositions d'un syllogisme (la majeure et la mineure).

Tous les hommes sont mortels (première prémisse) ; *or Socrate est un homme* (seconde prémisse) ; *donc Socrate est mortel* (conclusion).

Près, prêt

« Près de » est une locution prépositive dont le sens est « sur le point de » ou « non loin de ». « Prêt », adjectif, suivi de « à », signifie « disposé à ».

Ce programme est près de s'achever.
Il demeure près de son lieu de travail.
Ils sont prêts à faire de leur mieux.

Prof

Les mots commençant par « prof » : professeur, profession, professionnel, etc., ne prennent qu'un **f**.

Pugnace

« Pugnace » ne rime pas avec le familier « grognasse ». On doit prononcer d'abord le **g** puis le **n** : « pug - nace ». Même remarque pour « pugnacité ».

Pur-sang

Qu'ils galopent par deux, par dix ou par cent, les « pur-sang » prennent toujours un trait d'union et demeurent invariables.

Quand, quant

« Quand » avec un **d** indique le temps : *Quand vous serez prête, vous me ferez signe.*

« Quant » avec un **t** est suivi de « à » ou de « au(x) », et signifie : « pour ce qui est de », « pour ce qui concerne » : *Quant aux documents secrets, nous ne savons pas ce qu'ils sont devenus.*

Quasi

On dit « ca - si » et non « coua - si ». Même règle pour « quasiment ».

Quelque, quel que

Employé devant un nom, « quelque », adjectif indéfini, s'accorde en genre et en nombre avec ce nom : *J'ai acheté quelques légumes.*

« Quelque », employé comme adverbe, est invariable. Il peut alors être remplacé par « si ». *Quelque prudents qu'ils soient, ils n'éviteront pas la faute.*

Il est adverbe également lorsqu'il signifie « à peu près », « environ ». *Il y a quelque cinquante ans.*

On écrit « quelque » au singulier dans l'expression « quelque temps » (cela signifie « un certain temps »). *Il y a quelque temps, nous étions amis. Nous saurons cela dans quelque temps.*

Devant le verbe être, « quel » et « que » sont séparés ; « quel » prend alors le genre et le nombre du sujet (inversé) du verbe. *Quelles que soient vos intentions, je*

vous interdis de venir (que vos intentions soient [n'importe] **quelles**...).
Quels que soient les événements, je viendrai (que les événements soient [n'importe] **quels**).

Quoique, quoi que

« Quoique » en un mot exprime l'opposition, la concession. On peut le remplacer par « bien que ».
« Quoi que » en deux mots ne peut être remplacé par « bien que ». Il signifie « quelle que soit la chose que... ».
La maison de mon voisin doit être expropriée. Quoiqu'il en soit propriétaire, il en sera expulsé.
Une requête est en cours. Quoi qu'il en soit, il sera expulsé.

Raccommoder

Deux **c** et deux **m** pour « raccommoder » (et pour « accommoder »).

Rachis

Dans le mot « rachis », on prononce le **ch** comme celui de « hachis », et on fait entendre le **s** final.

Ratiociner

Le verbe « ratiociner » se prononce « ra - cio - ciner ». Il désigne l'action de raisonner de façon excessive, de se perdre en interminables considérations.

Rebattre

« Rebattre », c'est répéter quelque chose avec obstination. On peut donc *rebattre les oreilles de quelqu'un,* ou lui *rebattre quelque chose aux oreilles.* Il en aura *les oreilles rebattues* (et non *rabattues*).

Règle, règlement

Ces deux mots prennent un accent grave, mais les autres dérivés (« réglementation », « réglementaire »...) s'écrivent avec un accent aigu.

Rehausser

On prononce « re - hausser » et non « ré - hausser ».

Rémunérer

C'est bien « rémunérer » et non « rénumérer » qui est l'équivalent de « rétribuer ». On peut, pour le mémoriser, rapprocher « rémunérer » de « monnaie ».

Repaire, repère

Le « repaire » est le lieu où se cachent les malfaiteurs, les animaux sauvages.

Le « repère » est une marque qui permet de s'orienter, de localiser un lieu, etc.

Plusieurs repères conduisaient au repaire.

Ressortir à

Cela signifie « se rapporter à, dépendre de, concerner ». Ce verbe se conjugue non pas comme « ressortir » qui signifie « sortir de nouveau », mais comme « finir ».

Ce problème ressortit à la municipalité.

Ces événements ressortissent à l'actualité générale, et non locale.

Revolver, pistolet

Il ne faut pas confondre « revolver » (pas d'accent sur le **e**) et « pistolet ». Le revolver comporte un barillet (« *to revolve* », en anglais : « tourner »). Le pistolet (automatique ou semi-automatique) n'en a pas.

Roder, rôder

Le « r**o**dage » d'une équipe, d'un spectacle, désigne la période pendant laquelle on effectue des essais. On « rode » un véhicule en respectant les consignes données par le constructeur. « Roder », « rodage » ne prennent pas d'accent circonflexe sur le **o**.

« R**ô**der », c'est errer çà et là avec des intentions pas toujours louables. Le verbe dans ce cas prend un accent circonflexe, de même que le nom « rôdeur ».

Saigon

Attention : les villes vietnamiennes « Saigon » et « Hanoi » ne prennent pas de tréma sur le **i**, mais on en met un sur « monoï », mot polynésien désignant une huile parfumée. On écrit : Camille Saint-Saëns (qui se prononce comme « sens »), Madame de Staël (qui se prononce « stalle »).

Sans encombre

Pas de **s** à « encombre » dans cette expression qui signifie « sans incident, sans avoir rencontré d'obstacle ».

Sans faute

La locution « sans faute » signifie « à coup sûr », « de façon certaine » : *Nous serons là demain, à dix heures, sans faute.* Lorsqu'on parle d'un écrit qui ne comporte aucune erreur, il est préférable de mettre au pluriel le mot « faute » afin qu'il n'y ait pas confusion avec la locution précitée. On constate qu'il existe ainsi une différence de sens entre : *Vous écrirez ce texte sans faute* (sans oublier de le faire, à coup sûr), et *Vous écrirez ce texte sans fautes* (sans qu'on puisse y trouver des fautes). Si on veut employer le mot « faute » au sens d'« erreur » au singulier, on peut dire : *Vous écrirez ce texte sans aucune faute.*

Sans que

La locution conjonctive « sans que » ne doit pas être accompagnée de « ne ».
Essayez de vous enfuir sans qu'il s'en aperçoive.

Satire, satyre

Une « satire » est un écrit qui ridiculise sa cible. Un « satyre » est un homme lubrique, excessivement porté vers les plaisirs sexuels.

Saupoudrer

Saupoudrer (et non soupoudrer). Ce mot vient de « sau » issu du latin « *sal* » signifiant « sel ». Associé à « poudrer », cela signifiait donc, à l'origine, « poudrer de sel ». Le sens s'est étendu au cours des siècles, et « saupoudrer » s'utilise pour le sucre (saupoudrer de sucre), pour la farine, etc.

Savoir gré

On écrit: *Je vous saurais gré de... Nous vous saurions gré de donner une réponse,* ce qui signifie: « Je vous serais reconnaissant de... » ou bien: « Nous vous serions obligés de donner une réponse... » Le verbe « être », parfois, se substitue fautivement au verbe « savoir » dans les deux premières expressions (on ne dit pas « Je vous serais gré de... »).

Saynète

Une « saynète » est une petite comédie divertissante, jouée sur une scène (ce n'est pas une raison pour l'écrire « scènette »...).

Selon que

Après la locution conjonctive « selon que », on n'emploie pas le subjonctif, mais l'indicatif.

Selon que vous serez puissant ou misérable...

Selon que vous aurez de bons ou de mauvais résultats, vous serez admis ou refusé.

Sens dessus dessous

Lorsqu'on subit une vive perturbation, pour quelque raison que ce soit, on est accoutumé de dire : *Je suis sens dessus dessous.* Si cette perturbation concerne une pièce, une maison, on dira qu'elles sont aussi « sens dessus dessous », et non « sans dessus dessous » comme on l'écrivait au XVIe siècle.

Sensé, censé

Un homme « sensé » a du bon sens. Il sait que nul n'est « censé » (« supposé ») ignorer la loi.

Vous êtes sensé, ne commettez pas cette erreur !

Vous êtes censé connaître cette règle.

Se rappeler, se souvenir

On se rappelle quelque chose ou quelqu'un, on se souvient de quelque chose ou de quelqu'un.

Ce voyage au Mexique, je me le rappelle dans les moindres détails, et la rencontre que je fis sur le site de Monte Albán, je m'en souviens aussi.

Ce sont des moments qu'on se rappelle sans effort, des heures dont on se souvient.

Soi-disant

Dans « soi-disant », « soi » est mis pour « se ». « Soi-disant » signifie donc « se disant » et ne peut être employé que pour des personnes disant d'elles-mêmes qu'elles sont ce qu'elles prétendent.

Un soi-disant représentant de commerce a frappé à ma porte.

Soit

« Soit » est invariable si on peut le remplacer par « supposons », par « c'est-à-dire », ou quand il exprime une alternative. Cependant, quand « soit » signifie « supposons », l'usage des dernières années s'oriente vers l'accord avec ce qui suit (malgré une évidente contradiction puisque « soit » est l'ellipse du subjonctif précédé du pronom neutre « il » : « qu'il soit »).

Soit deux droites parallèles, soit deux triangles rectangles (et non « soient »).
Voici votre salaire, soit 2 000 euros.
Achetez soit des actions, soit des obligations.

Qu'ils soient, qu'ils voient

« Qu'ils soient », « qu'ils voient » et autres verbes se terminant par **oient** au subjonctif ne présentent pas de difficulté de prononciation particulière, et on peut se demander pourquoi certains les transforment bizarrement en qu'ils « soillent », qu'ils « voillent ». Sans doute est-ce un freinage défectueux dans la conjugaison qui les conduit à penser ceci : que nous « soyons », que vous « soyez », qu'ils « soyent (soillent) ». Eh bien non, c'est tout simplement qu'ils « soient » (comme « soit »).

Solde

La « solde » est le salaire des militaires.
Le « solde » est ce qui reste ou manque après avoir fait les comptes.
Le « solde » est aussi une marchandise qu'un commerçant vend à prix réduit.
Dans ce magasin, les soldes de juillet sont intéressants.

Solutionner

Il faut éviter l'emploi de ce verbe qui, sans en avoir le statut, a presque l'air d'un barbarisme. Il est si facile à remplacer par « résoudre »…

Il résout (avec un **t** final et non un **d**) *facilement tous ses problèmes de conjugaison.*

Sot-l'y-laisse

Curieuse dénomination pour ce morceau de chair de volaille situé juste au-dessus du croupion. On l'appelle ainsi car le sot qui en ignore le goût très fin le laisse à d'autres mieux informés. On écrit au pluriel : « des sot-l'y-laisse », ce mot étant invariable.

Somptuaire

« Somptuaire » signifie « relatif à la dépense ». Cet adjectif qualifiait autrefois les lois réglementant ou restreignant les dépenses de luxe. Parler de « dépenses somptuaires » constitue donc un pléonasme né de la ressemblance entre « somptuaire » et « somptueux ».

Soussigné

« Soussigné », adjectif employé dans la rédaction d'un acte, s'accorde en genre et en nombre avec le sujet.

Nous soussignés déclarons que…

Je soussigné, Louis de Lorimier…

« Soussigné » est aussi un nom :
Les soussignés s'engagent à...

Statue, statut, statu

Une « statue » est installée la plupart du temps sur un piédestal. On discute beaucoup de la position de la femme dans la société actuelle, on s'intéresse à son « statut ». Attention : dans l'expression « *statu quo* » (locution latine signifiant « l'état dans lequel se trouvaient les choses avant »), on ne met ni **e** ni **t** à « statu ».

Suggestion

La prononciation de ce mot (qui signifie « idée ou réflexion qu'on propose ») doit restituer toutes les lettres qui le composent : « sug - ges - ti - on » (rimant avec « digestion »), sinon, on peut le confondre avec « sujétion » qui n'a pas du tout le même sens. En effet, la « sujétion » (qui vient de « sujet ») désigne la dépendance, la soumission, l'incapacité d'agir à sa guise.
Les habitants de ce pays ont trouvé intéressante la suggestion de leur dirigeant.
Les habitants de ce pays vivent dans la sujétion de leur dirigeant.

Stupéfait, stupéfié

« Stupéfait » est un adjectif qualificatif, il indique l'état dans lequel on se trouve lorsque la surprise est intense.
« Stupéfié » est le participe passé du verbe stupéfier que l'on emploie pour exprimer un état de surprise aussi intense.
C'est après l'auxiliaire avoir que l'on ne peut rencontrer « stupéfait ».
Nous demeurons stupéfaits à l'annonce de cette nouvelle.
Cette nouvelle nous a stupéfiés.

T

Le **t**, cheville sonore destinée à éviter l'hiatus, est encadré de deux traits d'union : *Sera-t-elle à l'heure ? Prendra-t-elle l'avion ? Aura-t-il oublié ? Où va-t-on ?*
Le **t**, pronom personnel mis pour « toi », est précédé d'un trait d'union et suivi de l'apostrophe consécutive à l'élision : *Si tu veux réussir, donne-t'en la peine* (donne-toi la peine de le faire). *Cet adversaire est redoutable, méfie-t'en. Tu aimes la musique ? Donne-t'y complètement. Tu projettes de t'inscrire à l'université ? Prends-t'y assez tôt.*

Tache, tâche

Une « tache » sans accent circonflexe sur le **a** est une marque laissée par quelque chose de salissant. « Tacher » signifie « salir ».

Une « tâche » avec un accent circonflexe sur le **a** est un travail. « Tâcher » signifie « essayer ».

Taliban

Le mot « taliban » est le pluriel de « *talib* » en arabe qui signifie « étudiant ». Utilisé en France, ce nom commun s'accorde, comme tous les noms communs, en prenant un **s** au pluriel : « un taliban, des talibans ». De même, « *moudjahidine* », pluriel arabe de « *moudjahid* » (combattant de la guerre sainte), adopte en français le **s** pluriel : « un moudjahidine, des moudjahidines ».

...tée

Les noms féminins terminés par **té** ne prennent pas de **e** final sauf : *dictée, pâtée, jetée, montée, butée, portée, tétée, nuitée,* et ceux qui indiquent un contenu (*assiettée, brouettée, pelletée, potée...*).

Tel

« Tel » marquant la comparaison s'accorde avec ce qui suit : *J'aime les roses rouges, telle celle que tu as dans la main.*
« Tel que » s'accorde avec le nom qui précède : *Nous adorons les gâteaux tels que les religieuses, les tartelettes.*
La locution « tel quel » s'accorde avec le nom auquel elle se rapporte : *Vos livres étaient abîmés, je vous les rapporte tels quels.*

Tirer les marrons du feu

Celui qui tire les marrons du feu, au sens propre, se brûle et souffre au profit de ceux qui attendent pour les déguster. « Tirer les marrons du feu » signifie donc, au sens figuré, prendre des risques, se mettre en péril pour le bénéfice des autres.

Tourisme

C'est sans doute l'attraction du mot anglais « *tourism* » (que l'on prononce « tou - ri - zm ») qui a été responsable de la grande épidémie de « ri - zme » des années 80 et 90. Presque tous les termes en **isme** ont été contaminés. On a entendu ainsi « sociali - zme », « capitali - zme », « communi - zme », « mitterrandi - zme », « chiraqui - zme », etc.

La seule prononciation correcte est « i - sme ». Décomposons un peu plus « i - se - me » et non « i - ze - me » (le **s** se prononce **s** entre une voyelle et une consonne. Ce n'est qu'entre deux voyelles qu'il devient **z**).

Tout

« Tout » (avec le sens de « chaque », « n'importe quel(le) ») est au singulier dans les expressions suivantes : *en tout cas, en toute chose, tout compte fait, de toute façon, en tout genre, à tout hasard, à toute heure, en tout lieu, de toute manière, à tout moment, en toute occasion, de toute part, en tout point, à tout prix, à tout propos, en toute saison, de toute sorte, de tout temps.*

Lorsqu'il y a une idée de nombre, « tout » prend la marque du pluriel : *de tous côtés, à tous égards, à toutes jambes, en toutes lettres, toutes proportions gardées...*

« Tout » est invariable lorsqu'il peut être remplacé par « entièrement », « complètement », « tout à fait », il est alors adverbe. Cependant, devant un adjectif féminin commençant par une consonne ou un **h** aspiré, « tout », adverbe, s'accorde :

La classe tout entière écoute avec attention.

Les joueuses font grise mine, tout étonnées d'avoir perdu ; elles sont toutes honteuses.

Les joueuses exultent, toutes surprises d'avoir gagné.

Versification

12 syllabes « alexandrin » (deux hémistiches de 6 syllabes séparés par une césure). 11 syllabes « hendécasyllabe ». 10 syllabes « décasyllabe ». 9 syllabes « ennéasyllabe ». 8 syllabes « octosyllabe ». 7 syllabes « heptasyllabe » ou « heptamètre ». 6 syllabes « hexamètre ». 5 syllabes « pentamètre ».

Pour les polygones en mathématiques, il suffit de remplacer « syllabe » par **gone** (« angle » en grec), sauf pour le polygone à 12 côtés : « dodécagone ». Ainsi le polygone à 11 côtés est un « hendécagone », le 9 côtés, un « ennéagone », le 8 côtés, un « octogone », etc.

Vitupérer

Ce verbe signifiant « protester » est transitif direct. On doit donc dire « vitupérer quelque chose ou quelqu'un », et non « vitupérer contre quelque chose ou contre quelqu'un ».
Les manifestants vitupèrent le responsable de la situation.

Voici, voilà

« Voici » sert à désigner ce qui va être dit, ou bien quelque chose ou quelqu'un de proche.
« Voilà » désigne ce qui vient d'être dit, ou bien quelque chose ou quelqu'un d'éloigné.
Voici ma décision : je reste !
Je reste ! Voilà ma décision.
Voilà le facteur.
Voici le courrier.

Vive les vacances

L'interjection « vive » depuis Rabelais est une forme figée (donc invariable) du subjonctif de « vivre ». Considérer que le mot qui suit est le sujet et accorder en conséquence est une affaire personnelle. Dans ce cas, il serait plus logique de dire la phrase entière : « Que vivent les vacances ! »

Voie, voix

La « voie romaine », la « voix humaine ».

Voire même

Cette locution est tout à fait correcte, un peu vieillie cependant. « Voire » vient du latin « *verus* » qui signifie « vrai » ; c'était, au Moyen Âge, une façon de dire « oui », « certes » ou « bien entendu ». Plus tard, vers 1600, « voire », ayant acquis le sens de « vraiment », fut associé à « même » afin de le renforcer : « voire même » était né. Puis, « même » disparut, laissant à « voire » seulement le sens de la locution entière. Il n'est donc pas interdit de restituer l'expression sous sa forme ancienne, ce n'est pas un pléonasme. Toutefois, on peut préférer aujourd'hui ou bien « voire », ou bien « et même », plutôt que « voire même », expression jugée trop littéraire ou démodée.

*Ce roman est intéressant, et même (*ou *voire) passionnant.*

Vu

« Vu » et « attendu », ne pouvant être utilisés qu'avant le nom, demeurent invariables.

Vu la satisfaction de ses administrés, le maire décide…

Yacht

« Yacht » vient du néerlandais « *jacht* » et désigne un navire de plaisance. On devrait prononcer « yak », mais c'est la prononciation anglaise « yôte » qui l'emporte. Elle offre l'avantage de supprimer la confusion avec « yack » qui désigne un grand mammifère du Tibet, voisin du bœuf, à

longue toison fauve et soyeuse (on prononce « yak »). Ainsi, on peut éviter les situations inattendues…
Voulez-vous venir faire une promenade sur mon yacht ?

Zéro

« Zéro » n'est pas un adjectif numéral, mais un nom commun. On doit donc l'accorder au pluriel : *Il n'obtenait que des zéros en orthographe. Plus maintenant !*
« Balayés les amours, avec leurs trémolos, balayés pour toujours, je repars à zéro. Non, rien de rien, non, je ne regrette rien… » Ainsi chantait Edith Piaf dans les années soixante, contribuant à installer l'expression populaire « repartir à zéro » au lieu du canonique « repartir de zéro ». Mais peut-on l'imaginer chantant : « Balayés pour toujours, je repars de zéro… » ; cela manquerait de saveur, de couleur, des charmes du grand air, et du soleil des rues.

On accorde

Le participe passé

■ **Employé avec l'auxiliaire « être »,**
il s'accorde en genre et en nombre avec le sujet.
Elles sont venues, puis reparties.

■ **Employé avec l'auxiliaire « avoir »,**
il s'accorde avec le complément d'objet direct s'il est placé avant. L'essentiel est donc de trouver le complément d'objet direct (il répond à la question « quoi? » ou « qui? » posée au verbe).
Les fleurs que j'ai cueillies (j'ai cueilli quoi? « que », complément d'objet direct, mis pour « les fleurs » qui est au féminin pluriel, donc j'ajoute **e** [féminin] et **s** [pluriel] à « cueilli »).

■ **Accord du participe passé des verbes pronominaux** (ceux qui s'emploient avec un pronom personnel : *se regarder, se laver…*) :

a) **Le participe passé des verbes pronominaux proprement dits** (ceux qui ne se conjuguent qu'à la voix pronominale – on ne peut enlever le « se » : *s'enfuir, se souvenir…*) s'accorde en genre et en nombre avec le sujet.
Elles se sont souvenues, elles se sont évanouies.

b) **Le participe passé des verbes pronominaux non réfléchis** (c'est-à-dire ceux dont le pronom personnel n'est ni complément d'objet direct ni complément d'objet indirect : « s'attaquer » ne signifie pas « attaquer soi-même ») s'accorde avec le sujet. Voici quelques verbes pronominaux non réfléchis : *s'apercevoir, s'attaquer, s'attendre, s'aviser, se douter, s'échapper, s'ennuyer, se jouer, se plaindre, s'y prendre, se prévaloir, se saisir, se taire.*
Ils se sont attaqués à plus fort qu'eux, ils se sont aperçus de leur erreur.

c) **Pour les autres verbes pronominaux** (« se » + verbe transitif – « transitif » signifie qui peut avoir un C.O.D.), afin de trouver le complément d'objet direct, on remplace mentalement l'auxiliaire « être » par l'auxiliaire « avoir ».
Elle s'est lavée (elle a lavé qui ? « s' », ce pronom per-

sonnel « s' » est le complément d'objet direct mis pour « elle », féminin singulier, donc on ajoute **e** à « lavé »).
Elle s'est lavé le visage (elle a lavé quoi ? « le visage » qui est le C.O.D., donc on n'accorde pas le participe passé puisque le C.O.D. est placé après).

d) **Le participe passé des verbes pronominaux qui ne peuvent avoir de C.O.D. est invariable.**
Les fêtes se sont succédé (les fêtes ont succédé à « se », à elles-mêmes, la question posée est indirecte : « à quoi ? » – et non « quoi ? » –, donc « se » est un complément d'objet indirect, et non un complément d'objet direct, on n'accorde pas).

■ **Suivi d'un infinitif, le participe passé s'accorde avec le C.O.D.** qui le complète.
*La cantatrice que j'ai entendu**e** chanter* (« que », mis pour « cantatrice » féminin singulier, est C.O.D. de « entendu »).
La chanson que j'ai entendu chanter (on n'accorde pas « entendu » car le C.O.D. « chanter » est placé après, « que » est C.O.D. de « chanter »).

■ **On applique la même règle pour le participe passé des verbes pronominaux suivis d'un infinitif.**
Les naïfs se sont laissé persuader (« se » est C.O.D. de « persuader ». *Les skieurs se sont laissés glisser* (« se » est

C.O.D. du verbe « laisser »: ils ont laissé qui? « se », sujet de « glisser »).
Devant un infinitif, le verbe « faire » ou « se faire » au participe passé est toujours invariable. *Le responsable les a fait disparaître.*
Il n'y a jamais aucun problème pour l'accord du participe passé avec « avoir » si on effectue correctement la recherche du complément d'objet direct.
« Couru », « coûté », « valu », « vécu », ces quatre participes passés s'accordent s'ils sont employés au sens figuré, ils ne s'accordent pas s'ils sont employés au sens propre.
Les dix francs que m'a coûté ce livre (« que » est complément circonstanciel de prix – ce livre m'a coûté combien? – et non d'objet direct).
Les efforts que m'a coûtés ce travail (« que » est C.O.D.).

Les adjectifs de couleur

L'adjectif de couleur s'accorde avec le nom.
Des étoffes bleues.
Si l'adjectif est un nom commun pris adjectivement, il reste invariable.
Des yeux marron (de la couleur du marron), *des étoffes orange* (si l'on met un **s**, cela devient « des marrons », « des oranges »). Il en est ainsi d'*abricot, ardoise, argent, azur, brique, bronze, café, caramel, champagne, chocolat, citron, cuivre, ébène, framboise, garance, grenat, groseille,*

havane, indigo, kaki, moutarde, nacre, noisette, ocre, olive, or, paille, pastèque, perle, pervenche, pistache, prune, rouille, safran, saphir, saumon, sépia, serin, soufre, tabac, topaze, turquoise, etc.
Cependant, certains noms sont assimilés à des adjectifs et donc s'accordent avec le nom qualifié. Ce sont : *mauve, pourpre, rose, écarlate, fauve, incarnat.*
Des étoffes roses, des étoffes mauves.
Deux adjectifs employés pour désigner une seule couleur sont invariables.
Des yeux bleu clair (sans trait d'union).
Si ce sont deux adjectifs de couleur, on met un trait d'union.
Des yeux bleu-vert.
On écrit *des balles rouge et bleu* si chaque balle comporte du rouge et du bleu ; on écrit *des balles rouges et bleues* s'il y a des balles uniquement rouges, et d'autres uniquement bleues.
« Vairon » : des yeux « vairons » ne sont pas de la même couleur, ou bien leur iris est entouré d'un cercle blanchâtre.
« Pers » : ce terme désigne une couleur entre le bleu et le vert.

Les adjectifs numéraux

Les adjectifs numéraux cardinaux sont invariables sauf « vingt » et « cent » qui prennent un **s** s'ils sont multipliés, mais il ne faut pas qu'ils soient suivis d'un autre adjectif numéral.

Attention : on met un trait d'union seulement au-dessous de « cent » (sauf dans « vingt et un », « trente et un », « quarante et un », etc.).
Voici quelques exemples où ces règles sont appliquées : *quatre-vingts kilomètres, quatre-vingt-sept participants, cent vingt jours* (une fois « vingt » donc pas de **s**), *deux cents patates, trois cent sept euros, quatre cent quatre-vingt mille euros* (« cent » et « vingt » ne s'accordent pas car ils sont suivis d'un autre adjectif numéral).
Dans *quatre cent quatre-vingts millions d'euros,* « vingt » s'accorde parce que « millions » n'est pas un adjectif numéral mais un nom commun, de même que « milliard » – un million, un milliard. « Billion » (un million de millions) est aussi un nom commun donc variable, de même que « trillion » (un million de billions).
On écrit : *l'année quatre-vingt* sans **s** car cela signifie « quatre-vingtième » ; on écrit également : *page quatre-vingt, l'année mille huit cent, page deux cent, page vingt et un.*
Attention : « zéro » est variable : *Un huit suivi de cinq zéros.*

Les collectifs

Après un groupe de mots ayant un sens collectif, l'accord est variable.
Si ce groupe est précédé d'un article défini (« le, la ») ou d'un adjectif démonstratif (« ce, cette »), le verbe est au singulier : *La totalité des invités est arrivée.*

S'il est précédé de « un », l'accord est variable selon le sens que l'on veut donner à la phrase : *Une foule* (ou « un grand nombre ») *d'enseignants se pressait* (ou « se pressaient ») *devant le ministère*.

Après *beaucoup de, peu de, la plupart, bien des…*, l'accord se fait au pluriel : *La plupart des invités sont arrivés.*

Après *une multitude de, un grand nombre, la moitié de, le quart de, les deux tiers de, une minorité de, une partie de, la majorité de, la grande majorité de, le reste de, une grande quantité de…*, on accorde tantôt avec le collectif, tantôt avec le complément selon la nuance qu'on veut apporter à la phrase, ou selon le sens.

Les jours

Les jours de la semaine sont des noms communs, ils prennent un **s** au pluriel.

Magasin fermé tous les mardis.

En vente les mardi et samedi de chaque semaine (attention, il n'y a qu'un mardi et qu'un samedi par semaine…).

Le pluriel des noms et des adjectifs

On le sait tous depuis l'école primaire : les noms et les adjectifs prennent un **s** au pluriel. Mais attention, il y a des cas particuliers :

Certains noms terminés par **ou** prennent un **x** au pluriel : *bijoux, cailloux, choux, genoux, hiboux, joujoux, poux* (et même *ripoux*...).

Les noms terminés par **eu** prennent un **x** au pluriel : *Tous les feux sont au vert* – sauf « bleu », « pneu » (et « feu » au sens de « disparu ») qui prennent un **s** : *Tous les pneus bleus sont crevés.*

Les noms terminés par **au** forment leur pluriel en **x** : *Il s'est emmêlé les pinceaux* – sauf : « landau », « sarrau » qui prennent un **s**.

Les noms et les adjectifs terminés par **s**, **x**, **z** ne varient pas au pluriel : *un pays, des pays ; un puits, des puits ; un rébus, des rébus ; une souris, des souris ; un jaloux, des jaloux ; un index, des index ; un télex, des télex ; un gaz, des gaz ; un nez, des nez, etc.*

Les noms terminés par **ail** prennent un **s** au pluriel : *un attirail, des attirails ; un portail, des portails ; un poitrail, des poitrails ;* sauf *un bail, des baux ; du corail, des coraux ; de l'émail, des émaux ; un soupirail, des soupiraux ; du travail, des travaux ; un vantail, des vantaux ; un ventail, des ventaux ; un vitrail, des vitraux.*

Les noms et les adjectifs terminés par **al** forment leur pluriel en **aux** : *un cheval, des chevaux ; un journal, des journaux.*

Certains noms cependant ont un pluriel en **als** : *aval, bal, cal, cantal, caracal, carnaval, cérémonial, chacal, choral,*

festival, gavial, mistral, narval, nopal, pal, récital, régal, rorqual, santal, sisal, trial.
Certains adjectifs forment leur pluriel en **als** : *bancal, fatal, final, natal (néonatal), naval (aéronaval), tonal.*
On trouve les deux pluriels **als** et **aux** pour : *austral, boréal, causal, étal, glacial, idéal, jovial, pascal.*

Maximum, minimum, optimum

Au pluriel, ces trois mots employés comme noms font : *des maximums, des minimums, des optimums*. On peut aussi utiliser le pluriel latin en **a** : *des maxima, des minima, des optima.* Lorsqu'ils sont adjectifs, on leur préfère : *un prix maximal, une remise minimale, un climat optimal* qui font au pluriel : *des prix minimaux, des remises minimales, des climats optimaux.*

Le pluriel des noms propres

Les noms propres de personnes ne prennent pas la marque du pluriel : *les Dupont, les Mauriac, François et Claude*, sauf les noms de familles illustres et très anciennes : *les Bourbons, les Capets, les Condés, les Guises, les Horaces, les Stuarts, les Tudors*. Mais on écrit *les Borgia, les Habsbourg, les Romanov*, ces noms propres n'étant pas modifiés par rapport à la langue d'où on les tire.

Lorsque les noms propres désignent, par métonymie, l'œuvre produite, ils ne varient pas : *Ce collectionneur ruiné doit rendre à l'huissier les Monet de sa pièce.*

Devenus par antonomase (nom propre considéré comme nom commun) des noms communs, les noms propres peuvent prendre un **s** et parfois une minuscule : *Les femmes coquettes n'épousent pas des harpagons.*

Les noms de journaux ou de magazines demeurent invariables : *Des Figaro, des Ouest-France et des Libération sont vendus à la caisse.*

Les noms de marques commerciales demeurent invariables au pluriel : *Ce représentant a vendu trois Espace Renault et quatre Évasion Citroën.*

Le pluriel des vins

Lorsqu'ils sont, par métonymie, devenus des noms communs (un vin de Bourgogne = un bourgogne), les noms de vins peuvent prendre la marque du pluriel, sauf certains noms composés (des châteauneuf-du-pape, des château-lafite). On les écrit alors sans majuscule.

Nous avons bu du saint-émilion qui est un excellent bordeaux, des alsaces, des bourgognes, des champagnes et des chinons plutôt gouleyants.

Les mots composés

Pour former le pluriel des mots composés reliés par un trait d'union ou non, il faut identifier la nature de chacun de leurs éléments:

Nom + nom = accord.

Nom + adjectif = accord.

Nom + particule invariable = accord du nom.

Verbe + nom = accord du nom seulement.

Cependant, c'est le bon sens qui commande le plus souvent les accords à effectuer. En effet, dans « des gratte-ciel », le verbe ne s'accorde pas, ce qui est logique, mais le nom ne s'accorde pas non plus car il n'y a qu'un ciel. Si on compare « des garde-fous » et des « gardes-barrières », le premier « garde » ne prend pas de **s** car c'est un verbe, le second « gardes » en prend un car c'est un nom (il s'agit de l'employé, le « garde »).

Voici quelques exemples de mots composés au singulier et au pluriel: *un arc-en-ciel, des arcs-en-ciel; une belle-sœur, des belles-sœurs; un chou-fleur, des choux-fleurs; un pique-nique, des pique-niques; une porte-fenêtre, des portes-fenêtres* (à la fois porte et fenêtre).

Les mots composés dans lesquels « porte » est un verbe sont en général invariables: *un porte-bagages, des porte-bagages; un porte-bonheur, des porte-bonheur; un porte-clés, des porte-clés; un porte-monnaie, des porte-monnaie;*

un porte-parole, des porte-parole (mais *des porte-crayon* ou *des porte-crayons, des porte-drapeau* ou *des porte-drapeaux*).

Petite histoire des mots courants

Adulte, adolescent

« *Adolescere* », en latin, signifie « croître, grandir, se développer ». Le participe passé de ce verbe, « *adultus* », a donné en français « adulte », celui qu'on devient quand la croissance se termine. Le mot « adolescent » est issu du participe présent du même verbe, « *adolescens* » (« grandissant »). Chez les Romains, l'adolescence durait de 17 à 30 ans, et même davantage. Aujourd'hui aussi...

Amiral

On rencontre peu d'amiraux au quotidien. Ces officiers généraux ne courent pas les rues, et pour cause, ils sillonnent les mers sur des navires militaires. Mais il est intéressant de confronter leurs martiales préoccupations avec l'origine de leur nom : « amiral » vient de l'arabe « *amir al-bahr* » qui signifie « prince de la mer » ! Cette image vaguement baudelairienne valait bien une petite escale étymologique.

Avion

La première apparition du mot « aviation » date de 1863. Mais c'est Clément Ader qui créa le terme « avion », de « *avis* » en latin qui signifie « oiseau ». Cependant, pour désigner les aéronefs, on emploie, jusqu'en 1920 environ, « aéroplane » dont on perçoit aujourd'hui le caractère obsolète si on l'associe au Boeing 747 ou à l'Airbus A 360 : deux magnifiques aéroplanes !

Baragouin

Les pèlerins bretons qui, au XIVe siècle, allaient d'auberge en auberge réclamaient, au soir de leur journée de marche, du pain : « *bara* », et du vin « *gwin* ». Ce qui donnait : « *Bara, gwin ! bara, gwin !* », termes inconnus des aubergistes de France et de Navarre. Ainsi est né « baragouiner », c'est-à-dire s'exprimer dans un langage inintelligible, comparable à celui des linguistes contemporains.

Barbecue

Au Mexique, il existe un plat délicieux à base de viande de mouton et qui se prépare de la façon suivante : on creuse un trou à l'air libre, dans la terre, on y fait un feu qui chauffe des pierres sur lesquelles on installe un récipient contenant de la viande de mouton et d'autres ingrédients : c'est la « *barbacoa* ». Ce mot viendrait d'Haïti où il désigne des piquets de bois sur lesquels on installe de la viande pour la faire griller.

On trouve le mot « barbacoa » à Montréal en 1884, sous la forme « barbecu », et trente ans plus tard avec cette orthographe « barbacue ». Cette cuisson de la viande à l'air libre est pour les Nord-Américains une véritable culture. Sans doute une vieille habitude prise au temps où les chariots s'enfonçaient vers l'ouest, dans le soleil couchant, avec une petite chanson, toute seule dans le lointain : *« I'm a poor lonesome cow-boy »...*

Boucher

Le boucher était, au XIIe siècle, celui qu'on chargeait d'abattre les boucs, les chèvres et les chevreaux dans la « boucherie ». Il vendait ensuite la viande. Aujourd'hui, plus de boucs, de chèvres ou de chevreaux dans la « boucherie », le boucher est devenu avant tout un tailleur de bavettes.

Bourgeois

Le mot « bourgeois » est issu de « bourg », lui-même ayant pour ancêtre un mot germanique remontant à l'indo-euro-

péen : « *burgs* » désignant un hameau fortifié. Le mot « faubourg » apparaît au Moyen Âge, époque où les « bourgeois » vivaient dans le « bourg ».
C'étaient souvent des commerçants vivant dans l'aisance, soucieux de l'afficher comme le montre Molière dans la comédie-ballet *Le Bourgeois Gentilhomme*. Le sens plus général du terme apparaît à la Révolution de 1789 où les « bourgeois » s'opposent à la noblesse par l'intermédiaire du peuple. Aujourd'hui, le « bourgeois », d'après le dictionnaire, est « une personne conformiste et sans idéal, préoccupée de son seul confort matériel ».

Bureau

Une étincelle grecque et voici que s'enflamme la racine « *pyr...* », le « feu ». « *Pyr...* » produit « *purros* » qui se dit, dans l'Athènes antique, d'un vêtement entre le rouge sombre et le brun. « *Purros* » devient en latin « *burrus* », adjectif qui désigne le rouge ou le roux. De « *burrus* » naît « *burra* », nom d'une étoffe romaine grossière et brune, faite de poils de chèvre, de brins de laine, de crins entremêlés. Vous suivez ?
Le mot latin « *burra* » perd un **r** et devient « *bura* » aboutissant au français « bure » qui se transforme au XIVe siècle en « bureau ». Le « bureau » est alors une sorte de tapis dont on recouvre les tables destinées aux écritures.

Par métonymie, le nom de l'étoffe devient celui de la table elle-même. Puis, nouvelle métonymie, la salle où se trouve un bureau devient elle-même un bureau. Dernière étape : l'ensemble des bureaux contenant les bureaux est aussi appelé « bureau » : *Vous serez reçu au Bureau international du travail.*
Tout cela à partir de quelques poils de chèvre ! Vive le progrès !

Bus

Le mot « bus » vient du latin « *omnibus* » qui signifie « pour tous ». L'« omnibus » était, au XIXe siècle, une voiture tirée par des chevaux. Tout le monde pouvait y prendre place. Au début du XXe siècle, on remplace les chevaux par un moteur. Le mot est alors amputé de ses deux premières syllabes et devient l'« autobus » qui donne plus tard, par aphérèse, le « bus ». Ensuite, sont nés l'« Abribus », l'« Airbus », le « bibliobus », le « minibus », etc.

Cahier

« *Quatuor* », c'est ce mot latin signifiant « quatre » qui est la source de « cahier ». En effet, le « *quaternio* » était chez les Romains une feuille pliée en quatre produisant un cahier de quatre feuillets. Le « *quaternio* » est devenu « *quaer* » au XIIe siècle, puis le « *quaier* », et enfin, au XVIe siècle, le « cahier » désignant un assemblage de feuilles dont le nombre est variable. Ce petit livre par exemple est fait de plusieurs cahiers de seize pages (observez bien la tranche, côté reliure).

Canapé

Partons d'un moustique, un tout petit moustique énervant qui siffle et qui pique, traverse le sommeil depuis la nuit des temps. Son nom grec est « *hônôps* ». Pour se protéger des moustiques, les Grecs inventèrent la moustiquaire : « *kônôpeion* ». Celle-ci est reprise par les Romains sous la forme « *conopeum* ». La moustiquaire est installée autour du lit. « *Conopéum* » signifie alors « rideau de lit » puis « lit entouré d'une moustiquaire ».

En 1650, le « canapé » est un lit qui comporte un dossier à chaque extrémité, et sur lequel on peut à la fois s'asseoir et dormir. Aujourd'hui, si la forme du « canapé » a quelque peu changé par rapport au XVIIe siècle, l'usage demeure le même ou presque : s'asseoir, regarder la télé, et se laisser glisser dans le sommeil.

Par analogie de forme, on donne le nom de « canapés » à de petites tranches de pain de mie garnies de beurres de toutes sortes, d'anchois, de fromage, etc., dont on ne voit jamais la couleur si, dans un cocktail, on se trouve en cinquième épaisseur…

Canicule

Une « petite chienne », en latin, se traduit par « *canicula* ». Quel rapport avec une période de chaleur? Eh bien le voici : lorsque les Anciens voyaient apparaître, en juin, quelques minutes avant le lever du soleil, l'étoile Sirius et sa constellation « la Petite Chienne » (que nous appelons aujourd'hui le Grand Chien), c'était pour eux le signe du début des grandes chaleurs d'été. D'où le nom « canicule » donné dès que bascule l'été des jours qui brûlent. Alors Eve ou Hercule peuvent sans préambule, dès que l'ombre recule, et sans calcul, montrer leur corps. Et le faire bronzer…

Chandail

La naissance du chandail remonte à la fin du XIXe siècle. Aux Halles de Paris, le « marchand d'ail » (ou de légumes) portait un tricot épais, serré, qui le protégeait du froid et des courants d'air. Ce tricot devint le « marchandail » en un seul mot. L'aphérèse passant par là (l'aphérèse consiste à supprimer la ou les premières syllabes d'un mot), il ne resta du « marchandail » que le « chandail ».

Gammard, d'Amiens, son fabricant, adopta ce mot passé dans le langage courant et qui désigne aujourd'hui un gros tricot de laine qu'on enfile douillettement dès les premières fraîcheurs de l'automne.

Charcutier

Pour faire suite au bronzage évoqué dans « canicule », voici l'origine de « charcutier » qui n'est autre que la contraction de « chair » et de « cuitier » désignant au Moyen Âge celui qui faisait cuire la chair, la viande, avant de la vendre. N'y aurait-il pas là quelque parenté avec le plagiste ?

Chocolat

D'après une légende mexicaine, c'est le dieu-roi aztèque Quetzalcoatl, jardinier du paradis, qui a fait don de la fève de cacao à l'homme. Représenté par un serpent à plumes, Quetzalcoatl règne sur la cité de Tula et apprend aux hommes à cultiver le cacaoyer. Les Mayas utilisaient la fève de cacao comme unité comptable : un esclave valait 100 fèves, un lapin 10 fèves.

Moctezuma, empereur aztèque de 1440 à 1469, avait la réputation de boire cinquante flacons de chocolat par jour. Convaincu qu'il était une source de vitalité, il en buvait toujours une tasse avant d'entrer dans son harem. Et hop ! Il faut bien se donner du courage !

Ce sont les Mayas qui ont baptisé le fruit de l'arbre aux cabosses « *cacau* » (on ne sait pas trop ce que cela veut dire), qui a donné « cacao ». Les Nahuatl, peuple installé dans la région de Mexico, ont quant à eux inventé le mot « *chocolatl* » devenu « chocolat ».

La consommation annuelle de chaque Français (6,94 kg par an) aurait baissé ces dernières années. Un moyen pour la faire repartir à la hausse? La création de harems, peut-être…

Cocktail

Le « cocktailed-horse » est l'ancêtre du « cocktail ». Il s'agissait, au XVIIIe siècle, d'un cheval auquel on avait coupé la queue de manière qu'elle se redresse vers le haut. Cette opération n'était pratiquée que sur des chevaux de races croisées, jamais sur des pur-sang. Ainsi, le « cocktailed-horse », devenu « cocktailed », puis « cocktail » a désigné peu à peu tout ce qui comportait une idée de mélange, et notamment, au début du XIXe siècle, une boisson dans laquelle entrent divers alcools additionnés ou non de soda, de jus de fruits, etc.
Par métonymie, le « cocktail » désigne aussi une réception mondaine où tout le monde se pousse du coude pour accéder aux tables où se trouvent les canapés, les petits-fours et le champagne, si réconfortants lorsqu'il faut parler, debout, et parfois longtemps, à celui où celle qu'on n'avait pas envie de voir et qui sans doute pense la même chose.

Cuillère

Partons des rivages de la mer Égée, au temps où le roi Égée scrute l'horizon pour voir si son fils Thésée a bien hissé la voile blanche en signe de victoire contre le Minotaure crétois. Eh non, Thésée, petit étourdi, a laissé la voile noire. Son père le croit mort et se jette dans la mer qui devient la mer Égée.

Donc, sur le rivage de la mer Égée, le « *kohklê* » ou « coquillage » abonde. Facile, à cause de sa forme, de le transformer en « *koklias* » pour désigner la coquille de l'escargot qui devient en latin « *cochlea* », lequel « *cochlea* » évolue en « *cochlear* », nom d'une mesure pour les liquides. Le mot est bringuebalé à travers des siècles de prononciation qui l'érodent, le lissent et le déposent comme un galet comblé de confiture de fraises par exemple, une pleine cuillère, sur nos lèvres matinales.

Douceur infinie des rivages grecs, de tous les rivages…

Date

Le mot « date » vient d'une racine indo-européenne « *da* », liée à l'idée de « donner ». « *Da* » est devenu en latin « *dare* » qui signifie « donner ». Au Moyen Âge, au début d'une lettre, on écrivait « *littera data* » suivie de l'indication du jour. Cela signifiait « lettre donnée le… ». Au fil du temps, cette formule s'est réduite à « data » puis à « date », celle de la naissance, celle du mariage, et puis toutes les autres jusqu'à la dernière. Celle du rendez-vous chez le spécialiste.

Démocratie

De « *démos* », le « peuple », et « *cratie* », le « pouvoir ». La « démocratie », c'est le peuple qui gouverne. Heureusement qu'il a des représentants, sinon ça ferait une belle pagaille. On trouve ces représentants au Palais Bourbon, au Palais du Luxembourg, au Palais de l'Élysée, des lieux qui font très « peuple »…

Député

Le mot « député » vient du verbe latin « *deputare* », lui-même issu de « *putare* » dont le sens comprend à la fois les verbes « élaguer » et « penser », « assigner à ». Partant du dernier sens, on comprend qu'à la fin de l'Antiquité, le mot « *deputatus* » désignait un envoyé de l'autorité régnante (« *deputatus* » signifie « venu d'en haut »), sens conservé jusqu'à la fin du XVIIIe siècle où le député devient un envoyé du peuple vers le pouvoir. Notons que le verbe « se disputer » provient de la même racine que « député ». On l'aurait deviné !

Douche

Montaigne, que tout le monde connaît mais que personne ne lit, souffrait de la gravelle, autrement dit, de calculs rénaux.

On comprend qu'il s'est préoccupé de trouver tout ce qui pourrait le soulager, et qu'ainsi, il s'en est allé en voyage en

Italie d'où il a rapporté le mot « *doulche* » ou « *doccia* » (du verbe latin « *ducere* » : « conduire ») désignant les conduits d'eau chaude de la Villa où il tentait de se soigner. Ces conduits d'eau chaude dirigeaient sur le corps un jet aux effets sans doute apaisants.

De nombreux aménagements et perfectionnements ont abouti aujourd'hui à l'averse de pluie tiède qui doit nous tomber quotidiennement sur la tête et le corps tout entier, afin que recule la triste réputation que les étrangers ont faite aux Français : celle d'un peuple sale, qui ne se lave pas, avec toutes les conséquences olfactives que cela suppose...

Draconien

Aux VIIe et VIe siècles avant J.-C., Dracon, Solon, Pisistrate et Clisthène donnent à Athènes une législation qui évite les nombreux règlements de comptes entre particuliers. Les lois les plus sévères sont imaginées par Dracon. Voilà pourquoi on qualifie de « draconien » un règlement rigoureux au point d'en devenir excessif.

Duodénum

Le « duodénum » est la partie qui relie l'estomac à l'intestin grêle. Son nom est apparu au XIIIe siècle. Les médecins anatomistes de l'époque, le mesurant avec leurs mains, avaient constaté que, dans la moyenne, il faisait la largeur des dix doigts de la main, plus deux, ce qui fait douze doigts au total. Ils lui donnèrent donc le nom de « *duodenum digitum* » qui signifie « (d'une longueur) de douze doigts ». Abrégé en « duodénum », cette partie de l'appareil digestif poursuit en vous son existence discrète à quelques centimètres du livre que vous êtes en train de lire.

Écurie

Partons de « *scutum* » en latin, le « bouclier ». Continuons avec « *scutarius* » qui est le nom d'un « soldat portant un bouclier » dans la garde impériale romaine. Faisons le grand saut jusqu'au XIe siècle : « *scutarius* », passé au polissage du temps est devenu « *escuier* » qui désigne celui qui porte l'écu d'un chevalier. L'« *escuerie* » désigne alors l'ensemble des écuyers, puis la fonction elle-même.
Au siècle suivant, l'« écuyer » se spécialise dans les soins pour les chevaux. Le service des chevaux devient l'« écurie ». Un glissement métonymique au XVIe siècle fournit le sens actuel d'« écurie », lieu où on nourrit et surveille de près les chevaux bien dressés, mais aussi des pilotes Ferrari, McLaren, Honda, Prost, etc., ou encore des écrivains…

Écureuil

« *Oura* », la queue. « *Skia* », l'ombre. « *Skiouros* », l'animal qui se fait de l'ombre avec sa queue, devenu en latin : « *sciuriolus* », puis, au XIIe siècle, « *escuriel* », et aujourd'hui l'« écureuil », petit animal dont on sait maintenant qu'il est bien supérieur à l'homme pour ce qui est de se fournir à soi-même l'ombre salutaire en cas de canicule.

Édredon

L'« eider » est un grand canard de Scandinavie, et plus généralement des pays du Nord. Son nom provient du mot « *aedr* » signifiant dans une langue nordique « duvet ». En islandais, « *aedur* » désigne un grand oiseau, plus spécialement le canard dont on récolte le duvet.
Les Danois ont créé l'objet « *eiderduun* » (duvet d'eider) afin de se réchauffer pendant les longues nuits d'hiver. Les Allemands l'ont adopté sous la forme « *eiderdun* ». Enfin, le mot « édredon » est arrivé en France vers 1700. Aujourd'hui, on lui préfère la « couette », de « *culcita* », en latin : « coussin », « matelas », sous laquelle il fait si bon.

Enfant

Fermez les yeux, laissez-vous transporter par les voies mystérieuses du temps qui vont vous conduire bien au-delà de la naissance de Jésus-Christ, disons dix mille ans avant.
Attention, il fait frisquet, et nous nous trouvons en Asie centrale, au nord de l'Inde. Des hommes sont là qui forment les premiers sons dont nous sommes héritiers. On entend « fe » ou « fa » ; cette syllabe désigne la parole.

Rapportons-la précieusement avec nous en faisant une halte à Rome, au Ier siècle avant J.-C. Qu'entend-on? Qu'on appelle un petit être humain un « *infans* », où on reconnaît la racine « *fa* » (« parole »), et le préfixe privatif « *in* ». L'« *infans* », pour les Romains, c'est le petit de l'homme, qui ne parle pas encore. Bientôt le sens du mot s'étend et recouvre celui que nous connaissons.
Retour au XXIe siècle : le mot « enfant » n'a pas pris une ride (forcément !), sauf, peut-être, pour certains grands enfants...

Faïence

D'où vient ce nom qui brille, qui reluit sur les tables ou sur les murs, qui partout invite la lumière? D'Italie bien sûr! À Faenza, ville d'Italie, on fabriquait dès le XIVe siècle la « majolique », céramique recouverte d'émail, née dans l'île de Majorque. Importée en France, cette céramique a pris le nom de la ville italienne « Faenza », devenu « faïence ».

Faisan

Au sud du Caucase, dans l'actuelle Géorgie, coule un fleuve, le Rion. Au temps de Jason et des Argonautes, ce qui nous reconduit à la mythologie grecque, la Géorgie avait pour nom Colchide, et le Rion s'appelait le Phase. Jason et ses compagnons devaient rapporter la Toison d'or en Grèce, ce qu'ils firent grâce à l'aide de la jeune et belle Médée que

Jason épousa, mais ils rapportèrent aussi de magnifiques oiseaux au plumage mordoré. On les nomma « *phasianos* » : « (oiseau) du fleuve Phase ». Et « *phasianos* » a donné « faisan ».

Fromage

Le « *formaticus caseus* » désignait en latin le « fromage moulé » bientôt abrégé en « *formaticum* », devenu « formage » en ancien français. Une petite métathèse (voir « omelette ») et nous voici en présence du « fromage » déclinant sous les narines ébahies son infinie palette de fragrances dont certaines sont facilement identifiables, alors que d'autres ne conduisent à rien de précis, installent le doute, et n'ont peut-être même rien à voir avec le fromage.

Gant

Arrivés en Gaule au Ve siècle, les Francs et leur roi Clovis ayant trouvé le climat agréable s'y sont installés. Outre leurs coutumes un peu expéditives (on se rappelle l'épisode du vase de Soissons), les Francs qui parlaient le francique nous ont laissé en héritage un bon nombre de mots dont « want » (« moufle »), « mitaine », qui apparaît au XIe siècle. « Want » est devenu « gant », d'abord au sens militaire, puis il a pris l'allure pacifique de ce qui protège les mains de la morsure du froid.

Enfin, il est devenu adjoint à la toilette sous la forme qu'on lui connaît et qui étonne toujours nos amis québécois qui lui préfèrent un petit carré de tissu éponge qu'ils nomment joliment « débarbouilllette ».

Grève

Sur le territoire français, avant les Gaulois, existaient des peuplades dont quelques mots ont survécu. Ainsi en est-il de « *grava* » qui désigne un sable grossier, une sorte de gravier.

« *Grava* » est devenu « grève » qui a d'abord voulu dire « sable » puis, par métonymie, la « rive » de petits cailloux, de sable, de gravier.

Au XIIe siècle, l'extension de Paris sur la rive droite aboutit à la création d'une place touchant le bord de la Seine, et appelée « Place de Grève ». Cette place fut surtout un lieu patibulaire. Les exécutions y étaient très variées : la potence pour les petites gens, la hache ou l'épée pour les gentils-hommes, le bûcher pour les hérétiques, l'écartèlement pour les régicides, la roue pour les voleurs, etc. Une foule considérable assistait à ces tristes spectacles ; on louait jusqu'aux places sur les toits qui étaient noirs de monde.

Entre deux exécutions, les ouvriers à la recherche de travail s'assemblaient sur cette place. Attendre un nouvel emploi, c'était « faire grève », se promener tranquillement sur la

place où s'effectuaient en même temps les préparatifs d'une prochaine exécution.
Le sens actuel du mot « grève » (« arrêt de travail ») n'apparaît officiellement qu'à la fin du XIXe siècle.

Grog

Un petit grog au rhum est parfois utilisé pour tenter de soigner un gros rhume. « Grog », drôle de mot de fond de gorge, on dirait un gargarisme lexical. Son histoire est étonnante : en 1740, l'amiral anglais Vernon, navré que ses marins en escale aux Antilles se laissent (se laissassent, plus exactement, subjonctif imparfait) aller à des orgies de rhum, ordonna que toutes les boissons alcoolisées fussent coupées d'eau.
L'amiral Vernon portait souvent un vêtement de « grogram », déformation du nom français de cette étoffe grossière de soie brute : le « gros grain ». Pour ses marins, il devint « Old Grogram », abrégé en « Old Grog », le « vieux Grog ». Le rhum coupé d'eau fut aussi nommé « grog », en hommage (dépité) à son inventeur.
Vers 1770, l'adjectif « groggy » s'est formé sur « grog » pour désigner celui qui a trop bu d'alcool coupé d'eau. Aujourd'hui, « groggy » qualifie un boxeur presque assommé, ou bien un contribuable qui découvre son dernier tiers, etc.

Gymnastique

À Athènes, la « *gumnastikê* » était l'activité du « *gumnastês* », ces deux mots étant dérivés de « *gumnos* » (« nu »). L'Athénien quittait en effet tous ses vêtements pour faire les exercices physiques destinés à entretenir ses muscles. Aujourd'hui, même si on peut jouer de temps en temps à l'Athénien pour certains exercices de musculation, la gymnastique n'a plus rien à voir avec le nu antique, et c'est une heureuse évolution, dans la plupart des cas.

Hippopotame

« *Hippo* », c'est le « cheval », « *potamo* », c'est le fleuve. L'« hippopotame », c'est donc le « cheval du fleuve », très à l'aise lorsqu'il doit franchir la rivière des tribunes.

Homme

Que devient l'« homme » au terme de son apparition terrestre sinon l'humus dont il fut tiré, auquel il retourne ? « Homme » et « humus » possèdent la même racine indo-européenne : « *hom* » désignant la « terre ». Cette racine a produit aussi le mot « humble », attitude de celui qui ne s'élève pas, ne fanfaronne pas, s'abaisse, demeure tout près de la terre, comme le serpent, ce qui, finalement, n'est guère rassurant.

Horloge

« Horloge ! dieu sinistre, effrayant, impassible, / Dont le doigt nous menace et nous dit : Souviens-toi ! » De qui sont ces vers ? La réponse dans quelques lignes si vous suivez bien l'explication suivante : « horloge » vient du grec « *hôrologion* », de « *hôra* », « l'heure », et de « *logos* », « parole ». L'« horloge » est donc l'« instrument qui dit l'heure ».

Et maintenant, la réponse à la question : ces deux vers inaugurent la pièce CXXII des *Fleurs du mal* de Charles Baudelaire (1821-1867). Vous le saviez ? Récitez la suite alors... Une remarque : substituer au mot horloge son origine au début du vers supprime presque entièrement l'effet poétique, essayez : « Instrument qui dit l'heure ! dieu sinistre, effrayant... »

Infirmière

L'« infirmière » est, à l'origine, celle qui s'occupe des « infirmes » sous la direction des médecins. Le mot « infirme » vient du latin « *in - firmus* » signifiant « qui n'est pas ferme, au moral comme au physique ». Aujourd'hui, « infirmière » désigne une profession médicale ; c'est aussi le plus réconfortant sourire de l'hôpital.

Informatique

Le mot « informatique » a été forgé en 1962 par un électronicien Philippe Dreyfus qui a marié les deux mots « information » et « automatique ». Et depuis, ils ont eu plein de petits ordinateurs, et vivent très heureux dans notre vocabulaire.

Jacinthe

Quoi de plus simple, de plus humble que la jacinthe en bulbe qu'on vous vend empotée de plastique dans les supermarchés, et qui fleurit courageusement entre l'ordinateur et les gobelets de café ? Rien, aucune fleur n'est à ce point docile et douce.

Sans doute parce qu'elle cache une belle histoire triste : Hyacinthe (devenu « jacinthe ») était un beau jeune homme aimé d'Apollon. Zéphyre, le vent, jaloux de cet amour, fit dévier un palet en plein vol, jusqu'au front de Hyacinthe qui en mourut, répandant son sang sur le sol.

Apollon sombra dans le désespoir. Puis, afin que chacun se souvienne de son ami, il décida de transformer le sang qui imprégnait la terre en une fleur pourpre dont les pétales portent inscrite l'initiale « y » (première lettre de Hyacinthe, en grec).

Jeans

En 1853, un jeune New-Yorkais de 24 ans, Lévi-Strauss, décide de partir pour San Francisco, ville en plein essor depuis la ruée vers l'or qui a débuté en 1849.

Avec sa sœur et son beau-frère, il ouvre une fabrique de tissus afin d'approvisionner les mineurs. Il vend aussi des tissus fantaisie.

En 1872, Lévi-Strauss reçoit une lettre d'un de ses clients Jacob Davis, un tailleur du Nevada, qui lui décrit la façon dont il fabrique les pantalons de ses clients : il place des rivets de métal aux différents points de tension des poches afin de les renforcer. Davis n'a pas d'argent pour faire breveter le procédé. Il propose à Lévi-Strauss de collaborer afin d'obtenir le brevet ensemble.

De son côté, Lévi-Strauss importe des toiles fabriquées à Nîmes (le « denim »), qui transitent par le port italien de Gênes. De couleur indigo (un bleu légèrement violacé), cette toile va être utilisée pour mettre en pratique le système de Davis qui est breveté le 20 mai 1873. Le pantalon ainsi fabriqué sera dit « d'Gênes » qui devient « jean », puis « blue-jean » ou bien « jeans ». Il débarque en 1944 sur les côtes normandes, envahit l'Europe, puis le monde, vous-même peut-être… quel pantalon portez-vous en ce moment ?

Lavabo

Pour remonter à l'apparition de ce mot dans le langage, il nous faut voyager jusqu'au XVIe siècle, et entrer dans une église où on dit la messe en latin.

Le prêtre en est à l'offertoire, il entame le psaume XXV en se lavant le bout des doigts sous le filet d'eau qui coule d'une « burette » tenue par l'enfant de chœur : « *Lavabo inter innocentes manus meas* », ce qui signifie en français : « Je laverai mes mains parmi les innocents. »
Dans cet alexandrin, on remarque la traduction de « *lavabo* » : « je laverai », verbe « laver » au futur simple, 1re personne du singulier. Le « lavabo » désigne ensuite le linge sacré avec lequel le célébrant s'essuie les mains.
Après la Révolution de 1789, le mot « lavabo » sort de l'église et s'en va dans le recoin des chambres où une table est utilisée pour la toilette. La table, appelée « lavabo », se creuse bientôt d'un cercle où on dépose une cuvette de faïence. La métonymie transforme le lavabo-table en lavabo-cuvette. Le sens actuel est né.

Livre

Impossible, au temps des premiers Romains, de se précipiter dans une galerie marchande pour y acheter une ramette de 500 feuilles… Que faire ? Qu'inventer pour écrire ? Observer les arbres, en décoller l'écorce vivante, la faire sécher et s'apercevoir que, sur la partie tendre, on peut tracer des signes qui demeurent longtemps. Cette partie vivante de l'écorce s'appelle le « liber ».
On utilisera ensuite des bandes découpées de papyrus qui se substitueront au « liber », mais le mot demeure et se

transforme au XIe siècle en « livre » qui désigne, par métonymie, un ensemble de feuilles reliées, un objet comparable à celui que vous tenez en main.

Lycée

Au nord-est d'Athènes, il y a quelques milliers d'années, des loups avaient l'habitude de faire un peu de tourisme, l'hiver, quittant les montagnes enneigées. Le lieu prit alors leur nom : « *lukos* » (« loups »).

Puis des hommes rôdant de plus en plus dans les parages, les loups renoncèrent à leurs vacances. Le « *lukos* » devint un lieu d'exercices physiques : gymnastique, course, lutte.

Un peu plus tard, Aristote, ancien précepteur d'Alexandre le Grand, vient philosopher avec ses élèves dans ce lieu orné d'un péristyle autour duquel ils tournent en rond (mimant ainsi la pensée philosophique dans son ensemble). Le « *lukos* » (devenu aujourd'hui « lycée ») se transforme en lieu d'enseignement.

Au XVIIIe siècle, le lycée est l'endroit de l'université où les gens de lettres se rassemblent. Au début du XIXe siècle, il prend son sens actuel qui n'est pas sans rappeler le sens originel : de nombreux jeunes loups viennent en effet y faire du tourisme de septembre à juin.

Mappemonde

La « mappemonde » est issue du latin médiéval : « *mappa mundi* », signifiant la « nappe du monde ». La « mappemonde » représente donc le monde sur une surface plane, sous la forme de deux hémisphères. La sphère où se trouve représentées les terres et les mers, c'est le « globe terrestre ». Et même si votre instituteur l'appelait à tort « la mappemonde », ça n'empêche pas la terre de tourner.

Ministre

Pour trouver l'origine de « ministre », on doit remonter au latin « *minus* » (« petit »), qui a donné le nom « *minister* » désignant le « serviteur ». Au Moyen Âge, « *minister* » devient « *ministre* » désignant un dignitaire religieux. « *Minister* » donne aussi « ménestrel », sorte de grand serviteur chargé de divertir en inventant des histoires.
Le sens moderne de « ministre » date du XVIIe siècle. On pense que son rôle alors s'écarte radicalement de celui de « ménestrel ». Mais, pour beaucoup d'observateurs, cela n'a rien de sûr…

Maire

La racine latine « *mag* » indique l'idée de grandeur. Le comparatif de « *magnus* », « *major* » (« plus grand ») a donné le nom « maire » qui désigne d'abord le personnage principal d'un groupe, le chef, puis, à partir de la Révolution de 1789, le responsable d'une commune. La racine « *mag* » a donné aussi le mot grec « *mégalo* ». Rien à voir avec la plupart des maires en fonctions…

Mener

Contrairement à ce qu'on pense, le verbe « mener » n'a rien à voir avec la « main ». Il vient du verbe latin « *minari* » qui signifie « menacer ». De « *minari* » est aussi dérivé « *minator* », nom de celui qui excitait par des « menaces » les animaux pour les faire avancer. De « *minator* » est dérivé le mot « meneur ». Aujourd'hui, « mener » possède un sens plus doux et silencieux. Heureusement, on imagine mal mener quelqu'un quelque part en l'excitant avec des cris de toutes sortes, encore que…

Mois

Quand on lit l'histoire du temps, on est ému par les efforts déployés un peu à l'aveuglette par ceux qui nous précédèrent : ils créent des mois pour boucher des trous, en suppriment d'autres, bloquent des jours un peu n'importe où pour que tout tombe juste. S'ajoutent à cela des superstitions : par exemple celle des Romains qui croyaient que les nombres impairs portaient bonheur. Bref, pour en arriver à notre calendrier qui n'est qu'une sorte d'arrêt sur image de chaos chiffré, il a fallu des siècles de tâtonnements. Mais voyons ce que disent les noms de mois.

De septembre à décembre

Commençons par « septembre » qui est la contraction de « *septem ab imbre* », c'est-à-dire le septième mois après les pluies froides (on en déduit qu'il devait faire frisquette en février...). « Octobre » est le huitième mois après les mêmes pluies froides, « novembre » le neuvième et « décembre » le dixième.

De mars à juin

Continuons avec le mois de mars dédié au dieu de la Guerre, puis avec le mois d'avril qui serait celui d'« Aphrodite » (c'est l'printemps !). Le mois de mai (« *maïus* ») est dédié à « Maïa » (la « grande »), une divinité romaine, le mois de juin à « Junon », l'épouse de Jupiter.

Juillet et août

Occupons-nous maintenant de juillet et août : Jules César ayant remis de l'ordre dans un calendrier un peu fou qui prenait des mois d'avance sur l'année solaire, il fut proposé, pour le récompenser, de donner son nom au 5e mois de l'année (qui commençait en mars). Ainsi naquit « juillet ». Un peu plus tard, l'empereur Auguste fit la même chose et son nom fut donné au 6e mois de l'année : « août » était né. On donna à juillet et août le même nombre de jours (31), César et Auguste étant de grands hommes d'égale valeur...

Janvier, février

Enfin, février réservé aux fêtes de purification précédait janvier consacré au dieu à deux têtes Janus. Depuis, l'inversion a été faite. Heureusement, car le réveillon, qui est souvent interminable, durerait un mois... Insupportable !

Moquette

À force de marcher dessus, on ne sait pas trop bien d'où vient la « moquette » si utile et si douce à la plante des pieds pour se lever de bonne humeur. Ce mot serait issu de « mosquette » ou « mosquet » désignant un tapis de mosquée il y a quelques siècles.

Ce pourrait être aussi le dernier avatar de l'anglais « *mockado* » désignant une étoffe très en vogue au XVIIe siècle. Ce « *mockado* » viendrait lui-même de « moire » ou de « mohair », de l'arabe « *mukhayar* », nom d'un tissu grossier.

Enfin, ce pourrait être le dérivé d'un mot de l'Ouest : la « *moche* », nom d'un écheveau de laine.

Au point où on en est, rien ne nous interdit une version qui vaudra bien les autres : « moquette » ? Ce pourrait être un tapis dont l'étymologie se moque des gens, juste un petit peu...

Narcisse

Il était une fois un jeune homme d'une beauté éclatante, fils de la nymphe Liriopé et du fleuve Céphise. Toutes les jeunes filles lui couraient après et lui déclaraient leur flamme, toutes les femmes rêvaient d'en faire autant, mais il

restait imperturbable, passant devant elles, les épaules hautaines, roulant des mécaniques, comme un prof de gym.
La nymphe Echo qui éprouvait pour lui une folle passion fut rejetée avec mépris, elle en trépassa. Sachant que le devin Tirésias avait déclaré que Narcisse vivrait tant qu'il ne verrait pas son image, la déesse Némésis le poussa, au cours d'une chasse, à se désaltérer au bord d'une fontaine. Narcisse (narcissique...) ne put se détacher de son image, il en oublia de boire et de manger. Il prit racine et devint cette fleur qui s'épanouit à la saison chaude et dépérit à l'automne : le « narcisse ».
Moralité : mieux vaut y réfléchir à deux fois avant de devenir prof de gym.

Notes

Le nom des notes de la gamme a été choisi par un moine italien, Gui d'Arezzo, au XIe siècle. Son choix s'est arrêté sur les premières syllabes de l'hymne latine (oui, oui, au sens religieux, hymne est féminin !) chantée aux vêpres de l'office de saint Jean-Baptiste, hymne que voici : *UT queant laxis / REsonare fibris / MIra gestuorum / FAmuli tuorum / SOLve polluti / LAbii reatum / Sancte Johannes /*
Évidemment, vous avez effectué en temps réel la traduction de cette hymne (bravo !) : « Pour que tes serviteurs puissent chanter avec des accents purs le caractère merveilleux de

tes actions, efface, Saint Jean, le péché de leur lèvre souillée. »

Vous remarquez que la première note de la gamme « ut » est la seule commençant par une voyelle. On l'utilise encore, mais elle a été remplacée au XVIIe siècle par « do », plus facile à prononcer. La note « si » est formée du **s** de « saint » et du **i** de « Iohannes » : à cette époque, le **j** et le **i** sont une seule et même lettre.

Voilà, vous savez tout. *Gamme over.*

Nyctalope

Ce mot est composé de « *nuktos* » en grec, la « nuit », et de « *opos* », la « vue ». Le « nyctalope » est donc celui ou celle qui voit la nuit presque comme en plein jour. La chouette est « nyctalope », le hibou aussi. Contrairement à ce qu'on pourrait penser, les rappeurs ne le sont pas forcément.

Omelette

Les œufs cassés, mélangés, puis cuits sur une surface plane produisent une sorte de galette, de « lame » comestible, d'où le nom très ancien donné à cette préparation : « lemelle » ou « limele », du latin « *lamella* ». On trouve ensuite, pour désigner le même plat : « la lumelle », puis « l'alumelle ».

Au XVe siècle, on casse toujours des œufs pour les faire cuire en « lame », mais la préparation est devenue « l'alumecte », puis, « l'alemette ». Une petite inversion au fil des âges (ce qu'on appelle de façon savante une « métathèse ») et nous voilà en présence de « l'amelette ». Toute proche est « l'homelaicte » de Rabelais en 1548, dans le *Quart Livre*. Enfin, voici, en 1560, l'« omelette ».

À table, c'est prêt !

Ordinateur

Il y a plus de deux mille ans, dans la ville de Rome, chaque citoyen disposait d'un ordinateur. Et ce n'est pas une plaisanterie : l'« *ordinator* » était à cette époque « celui qui met en ordre, qui règle les affaires » ou bien « celui qui instruit un procès ».

Le mot « ordinateur » tel qu'on le connaît aujourd'hui apparaît au XVe siècle et désigne, dans le domaine religieux, « celui qui institue quelque chose ». L'évêque, par exemple, qui donnait le sacrement de l'ordination aux diacres était appelé l'« ordinateur » (« micro-ordinateur portable » pour un tout petit évêque en chaise à porteurs).

Au XVIIe siècle, l'« ordinateur » désigne celui qui règle les affaires publiques. Puis, le mot tombe peu à peu dans l'oubli. Mais voilà qu'en 1956, une énorme machine qui met tout en ordre en un clin d'œil, qui classe tout en une fraction de seconde, et calcule à la vitesse de l'éclair – l'antithèse du fonctionnaire – commence à faire parler d'elle.

Les Anglais, les Étatsuniens l'ont appelée « *computer* », du latin « *computare* » (« compter »). Le professeur J. Perret, de Paris, est sollicité pour lui trouver un nom différent. Il fouille dans les mots anciens et antiques, et trouve l'« ordinateur » qui éclipse en quelques mois l'adaptation française du « *computer* » anglo-saxon : le « computeur ».
Depuis, tout le monde ou presque se sert de l'« ordinateur ». Même les évêques...

Osciller

Le verbe « osciller » a pour racine « *os, oris* » (« bouche »). De « *os* » est né « *oscillum* » qui désignait un petit masque qu'on suspendait chez les Romains dans les vignes ou les arbres fruitiers, en offrande à Bacchus ou à Saturne. Ce masque se balançait au vent, servant, à l'occasion, d'épouvantail. « Osciller » est né de ce balancement.

Panique

L'histoire se passe il y a bien longtemps, à l'époque où les environs d'Athènes étaient peuplés de dieux, de demi-dieux, de nymphes. L'une d'entre elles, Syrinx, particulièrement jeune et jolie, émut le dieu Pan, protecteur des troupeaux, symbole de la vitalité sexuelle, de la force de la nature, mais chèvre-pied d'une laideur à pétrifier le plus téméraire.
Un soir, cette nymphe rentrait du lycée (non, pas l'établissement scolaire, la colline aux loups – voir l'article « lycée »

plus haut), guillerette comme Perrette, et voilà Pan qui se met en travers de son chemin, les bras en croix, pour l'empêcher de passer et lui prouver son amour.
La jeune Syrinx s'enfuit alors, prise d'une peur « panique », celle dont on serait tous victimes à la vue du dieu Pan. Pan la poursuivit, mais, au moment où il allait l'attraper, elle atteignit le fleuve Ladon et se transforma en roseau. Pan en coupa plusieurs d'inégales longueurs, les réunit avec de la cire, et se mit à souffler dans cet instrument végétal pour exprimer sa douleur. La flûte de Pan était née.

Pantalon

Au IIIe siècle après J.-C., le jeune Pantaléon exerçait la profession de médecin à Nicomédie, en Bithynie (au nord de la Turquie actuelle). Devenu saint par le martyre, il fut choisi comme patron de la ville de Venise.
Hélas pour lui, car il devint synonyme de vieillard libidineux, avare, jaloux, prétentieux, éternel dupe (comme certains vieux Vénitiens). Ainsi apparaissait « *il signore Pantaléone* » dans la *commedia dell'arte*, le théâtre italien.
Ce personnage était vêtu d'une espèce de salopette, de sorte qu'on nomma bientôt, par métonymie, la culotte descendant jusqu'aux chevilles le « pantalon ». Les révolutionnaires de 1789 l'adoptèrent. C'est aujourd'hui un vêtement commun à tous les hommes qui, dans leur ménage, n'en portent pas toujours la métaphore.

Patère

Il y a bien longtemps, lorsqu'on sacrifiait aux dieux des animaux (et des humains de temps en temps), on se servait d'une grande coupe circulaire, évasée, peu profonde, la « *patera* » en latin.
Les sacrifices étant de moins en moins pratiqués, la « patère » est devenue une sorte d'ornement de forme circulaire au XVIIe siècle, puis au XVIIIe siècle, une sorte de crochet qu'on installe sur un mur ou dans un meuble. Ainsi, la patère qui recueillit le sang des sacrifiés en supporte aujourd'hui la dépouille.

Péage

En France, les entrées d'autoroutes sont gratuites. Seule la sortie est payante. Il faut, en effet, acquitter un péage proportionnel au nombre de kilomètres parcourus. Le mot « péage » implique l'action de « payer », mais ces deux mots n'ont pas de parenté étymologique. En effet, « péage » vient de « *pes, pedis* » en latin qui signifie « pied ». Au Moyen Âge, de nombreux droits de passage étaient perçus : à l'entrée des ponts, des villes, des grandes routes, etc. On acquittait le « *pedaticum* », le « droit de mettre le pied en un lieu défini ». « *Pedaticum* » est devenu « péage » au XIIe siècle. Au XXe siècle, ce droit moyenâgeux existe donc encore. Tout ne peut pas être moderne…

Pédagogue

À Athènes, le « *paidagôgos* » était l'esclave qui conduisait l'enfant (« *paidos* ») à l'école. Il lui faisait aussi faire ses devoirs à la maison ; le « *paidagôgos* » faisait alors de la « *paidagôgia* ». Aujourd'hui, ces deux mots ont pour héritiers : « pédagogue » et « pédagogie ». La différence, c'est que le pédagogue n'est plus chargé du ramassage scolaire : il élabore des pratiques destinées à rendre facile et agréable les apprentissages grâce à une « pédagogie » adaptée, à condition que les vacances lui en laissent le temps.

Pelouse

À tondre chaque semaine l'après-midi, en pleine période de pousse, pour le plus grand plaisir des voisins qui tentent de piquer un roupillon réparateur après de récentes fatigues, la « pelouse » vient du latin « *pilosa* » qui signifie « poilue ». On comprend qu'il s'agit ici d'une métaphore, l'herbe jouant le rôle des poils. Mais la métaphore fonctionne parfois dans le sens inverse : on appelle ainsi de façon imagée la chevelure « la pelouse », sans parler d'autres emplois, efficaces vecteurs de description qui évitent de s'enliser dans le touffu d'un lexique inapproprié.

Péripatéticienne

Vous avez lu l'histoire d'Aristote et de ses élèves se promenant dans le « *lukos* » ou « lycée » (*cf.* Lycée) : ils tournaient

en rond tout en devisant de problèmes essentiels : Zeus, la mort, etc. On les appelait des « *peripatos* » ou « péripatéticiens » (de « *patos* » qui marche, et « *péri* » autour).
Par analogie de démarche physique (et non de préoccupations intellectuelles) on a donné aux dames qui quêtent au bord des rues une présence réconfortante et rémunératrice, le nom de péripatéticiennes. Celles qui quêtent en d'autres lieux pour les mêmes raisons portent aussi ce nom, comme un hommage de la petite vertu au grand philosophe.

Porcelaine

Peu ragoûtante, l'histoire de ce mot. Si vous êtes une âme sensible, si vous avez l'habitude de prendre vos repas dans de la vaisselle de porcelaine, passez votre chemin sinon les images qui suivent s'associeront à toutes vos préparations culinaires, et ce sera insupportable. Vous êtes prévenu. Vous continuez ? Tant pis pour vous.
Donc, « porcelaine » est dérivée de « *porcella* » qui signifie « petite truie », mais en désigne aussi la vulve. L'analogie d'aspect entre ladite vulve, lisse, luisante, parfois délicatement laiteuse, et certains types de coquillages conduisit à donner à ceux-ci le nom de « *porcellana* ».
Devenu italien, le mot est arrivé en France, laissant bien loin derrière lui la truie et l'ouverture de son petit capital. « *Porcellana* » est devenu « porcelaine » et désigne à la fois

un coquillage aux couleurs vives et la matière translucide utilisée en céramique fine. Bon appétit quand même !

Précaire

« *Prex* », en latin, c'est la prière. « *Precarius* » qualifiait ce qui avait été obtenu par la prière et possédait ainsi un caractère mal assuré, peu fiable, sans certitude. Le mot français « précaire » est directement dérivé de ce « *precarius* » qui semble appartenir à tous les âges.

Presbyte

L'âge qui s'avance fait perdre leur élasticité à bon nombre de parties du corps qui se relâchent alors, ou se ratatinent, bref, qui ne possèdent plus les spontanéités de la jeunesse. Ainsi en est-il du cristallin de l'œil qui diminue son pouvoir d'accommodation et contraint au port de lunettes : on devient presbyte, de « *presbus* » en grec qui signifie « vieux », rien de moins !

Les premiers chrétiens appelant les plus anciens de leur communauté, chargés de les diriger, des « *presbuteroï* », le mot « prêtre » (dérivé de « *presbuteroï* ») a désigné plus tard les ministres du culte, logés au « presbytère ». Inutile de préciser que le « presbytère » n'héberge donc pas que des porteurs de lunettes. En un mot, n'y vivent pas que des « presbytes ».

Professeur

Vous rappelez-vous avoir voyagé, les yeux fermés, plus vite qu'un TGV, sur les voies mystérieuses du temps, et avoir rapporté d'Asie centrale, au nord de l'Inde, la racine « *fa* » ou « *fe* » qui signifie « parole »? Oui? Eh bien regardez bien le « professeur »: ne reconnaissez-vous pas, en plein milieu, le « *fe* » de la « parole ». N'identifiez-vous pas dans le « *pro* » qui précède « *fe* », le « devant » latin?
Alors, qu'est-ce qu'un professeur? C'est quelqu'un qui « parle » « devant », affirme plein de choses, tente de transmettre son savoir, et parfois, favorise, à son insu, l'observation rêveuse des lents nuages.

Pyjama

Le « pyjama » apparaît au XIXe siècle. C'est un mot anglais emprunté à l'une des deux langues nationales du Pakistan: l'urdu (ou « ourdou »). Le « *paé-jama* » signifie « vêtement de jambes ». Il a remplacé peu à peu la chemise de nuit pour les hommes, et celle des femmes qui, de plus en plus nombreuses, ont adopté le pyjama.
Cependant, il faut noter que bon nombre de dormeurs et dormeuses se passent du vêtement de jambe pakistanais ou de la chemise de nuit pour retrouver les bras de Morphée. D'autres qui s'étaient endormis avec se réveillent sans. Parfois, c'est l'inverse. Avec le haut et le bas, tous les cas de figure sont possibles. Passez une bonne nuit!

Robinet

Dans la littérature du Moyen Âge, le prénom « Robert », ou son diminutif « Robin », était souvent utilisé pour désigner un paysan sot et prétentieux. On ne sait trop quels points communs entre ce type de paysan et le mouton font glisser le mot Robin de l'un à l'autre.

Robin, le mouton, devient populaire au point qu'on représente sa tête à l'extrémité de la canalisation des fontaines. Cette tête en réduction qui laisse couler l'eau prend naturellement le nom de « robinet » (petit Robin). Depuis, l'eau a coulé sous les ponts, dans les lavabos, et le « robinet » a perdu la tête.

Savon

Pline, l'écrivain latin, raconte dans son *Histoire naturelle* que les Gaulois rougissaient leurs cheveux avec un mélange de suif (graisse des ruminants) et de cendre. Ce mélange avait pour nom « *saipon* », repris en latin sous la forme « *sapo, saponis* ».

C'est au XIIIe siècle qu'apparaît la forme « savon » désignant un produit utilisé depuis fort longtemps pour le lavage, le dégraissage.

Au fil des siècles et jusqu'à nos jours, le savon se modernise, se parfume, se décline en élégants petits cubes ou parallélépipèdes, se féminise en devenant « savonnette ».

Il ne reste rien aujourd'hui de son sens premier, rien ou presque, car on croise encore dans la rue quelques Gauloises aux cheveux rouges, sans doute détentrices des secrets du « *saipon* » originel…

Semaine

Sans doute avez-vous remarqué que chacun des jours de la semaine comporte les deux lettres « di ». Cette syllabe correspond à la racine indo-européenne « *die* » qui signifie « lumière ». On trouve aussi cette racine dans « dieu » (dire que Dieu est lumière est donc un pléonasme), dans « diurne », dans « jour » (« *diurnum* » en latin qui a donné « *djorn* » en ancien français, puis « jour »).
Ce sont les Égyptiens qui ont donné aux sept jours de la semaine (division utilisée par les hébreux) le nom des sept astres connus des Chaldéens et Assyriens (c'est un peu compliqué, mais on y arrive…).
Lundi, c'est « *Lunae dies* », jour de la lune ; mardi « *Martes dies* », jour de Mars ; mercredi « *Mercurii dies* », jour de Mercure ; jeudi « *Jovis dies* », jour de Jupiter ; vendredi « *Veneris dies* », jour de Vénus ; « *Saturni dies* », jour de Saturne qui a donné le « *saturday* » anglais, notre « samedi » est issu de « *Sambati dies* », jour du sabbat chez les juifs.
Enfin, dernier astre connu des astronomes mésopotamiens : le soleil, ce qui a donné « *Solis dies* » avec pour prolonge-

ment anglais : « *Sunday* ». Dimanche est issu de « *Dominica dies* », jour du Seigneur.
Semaine vient du latin « *septimana* » : durée de sept jours.
Et maintenant, un peu de repos bien gagné !

Serviette

Issu de la racine indo-européenne « *ser* » exprimant l'idée de soin, de vigilance, le mot latin « *servus* » désigne l'esclave. Il a eu une abondante descendance : les verbes *servir, asservir, desservir, resservir* ; les noms *serf, servant, servante, serveur, service, servilité, servitude, dessert* (« action de desservir » d'abord, puis « dernier service ») ; les adjectifs *serviable, servile*.
Au XIVe siècle est apparue la « serviette » qui a éliminé ses équivalents de l'époque : « touaille » et « essuette ». Son usage quotidien dans la salle de bains ou dans la salle à manger la rapproche de son origine indo-européenne : elle exerce sa vigilance pour nous maintenir propres, autant que faire se peut.

Tennis

Les sportifs du Moyen Âge aimaient pratiquer le jeu de paume : on s'y renvoyait la balle au moyen de la paume de la main, de part et d'autre d'une ligne médiane. Avant d'envoyer la balle, afin que l'adversaire se prépare à la recevoir, on lui criait : « *Tenetz* ! ».

Séduits par ce jeu, les Anglais qui l'appelaient le jeu de « *tenetz* », l'importèrent et il devint, au XVIIIe siècle, le « tennis », la raquette ayant remplacé la paume.

Travail

« Travail » vient du latin « *tripalium* » qui désigne un instrument formé de trois pieux (*tri - pal*). Cet instrument était destiné à immobiliser un animal. Le « travail » existe encore dans ce sens : c'est une sorte de cage où on attache solidement un cheval, un bovin, de sorte qu'ils ne puissent plus faire de mouvements brusques, imprévus, afin d'effectuer des soins. On écrit alors au pluriel : « des travails ».
L'imagination des hommes étant sans limite lorsqu'il s'agit de faire souffrir leurs semblables, le « travail » fut aussi utilisé pour la torture. Il prit alors le sens de « souffrance ». On parle ainsi du « travail » de l'accouchement.
Tout cela nous amène inévitablement au « travail » qui nous occupe quotidiennement, vers lequel, gais et contents, nous partons dès l'aube. Pas brillante, son étymologie : souffrance, torture, cage de contention.
Éternelle question : l'homme est-il fait pour le travail ? « Non, répondait Georges Courteline, la preuve ? Ça le fatigue ! »

Vasistas

« *Was ist das ?* » en allemand signifie « Qu'est-ce que c'est ? » « *Was ist das ?* » est devenu « vasistas » qui a d'abord désigne, au XVIIIe siècle, une sorte de guichet à travers lequel on formulait l'interrogation teutonne. Aujourd'hui, c'est un petit panneau mobile pivotant autour d'un axe. Pendant la Révolution, c'était la lunette de la guillotine, l'ultime question…

Vélo

« Vélo » est issu du latin « *velox* » qui signifie « agile à la course, vif, preste, rapide ». Cela dit, on n'est pas obligé de foncer droit devant soi à toute allure dès qu'on enfourche sa bicyclette, comme les coureurs du tour de France. On peut très bien adopter un petit train tranquille, un train de sénateur, comme un facteur.

Véranda

« *Varus* » en latin qualifie celui qui a les genoux tournés en dedans et les pieds tournés en dehors, c'est-à-dire « cagneux ». Ce « *varus* » a donné, également en latin, « *vara* », nom d'un bâton fourchu (qui supporte un filet), d'une traverse de bois ou d'un chevalet.

Passé en Espagne, « *vara* » est devenu « *varanda* », puis « *baranda* » au Portugal. Les Portugais l'ont emporté avec eux aux Indes où se sont installés les Anglais qui lui ont donné la forme : « veranda ». Et voilà.

La « veranda », en Inde, est une construction légère, en forme de galerie adossée au mur du bâtiment principal. On ajoute des vitres et on obtient le sens actuel des « vérandas » qui rendent si élégants les pavillons qu'on en prolonge.

Vétérinaire

Poussons la porte de « vétérinaire » : nous apercevons, tout au fond de la perspective historique, le mot latin « *vetus* » qui signifie « vieux ».

Quoi ? Les vétérinaires seraient tous des hommes âgés ? Non, mais les soldats romains, devenus vieux (« *veteranus* » qui a donné « vétéran ») pouvaient conserver leur cheval usé par les campagnes, devenu « *veterinus* ».

On l'utilisait pour le transport du matériel. Celui qui accompagnait ces braves bêtes, qui les soignait, portait le nom de « *veterinarius* ». D'où notre « vétérinaire » qui, lui, n'est spécialisé dans aucune tranche de l'âge animal, et soignera aussi bien un jeune éléphant qu'un vieux cochon.

Viande

La racine indo-européenne « *wy* » (la vie) a donné naissance à « *bio* » qu'on trouve dans « biologie, biographie », etc. ; à « *zoo* », et même à « azote », mot composé du **a** privatif et de « *zo* », vie, la vie ne pouvant se développer dans l'azote.

Mais « *wy* » a produit aussi le mot latin « *vivenda* » désignant les choses qui sont utiles à la vie. De « *vivenda* » est née la « viande », nourriture au sens large, qui sert à la sub-

sistance. Ce n'est qu'à la fin du XVIIIe siècle que le mot « viande » prend le sens de chair dont on se nourrit.
Et quand un bon repas se termine, a-t-on fait « bonne chair », ou « bonne chère » ? La réponse est dans ce petit livre…

Zizanie

« Zizanie » vient du grec « *zizania* », nom de l'« ivraie », graminée malintentionnée et nuisible qui gêne la croissance des bonnes céréales. Semer la zizanie, c'est donc se rendre malintentionné et nuisible dans un groupe où règne la bonne entente. Louis de Funès fut en son temps, à l'écran, un excellent semeur.

Masculin ou féminin ?

Masculin	Féminin
abaque	abside
abîme	absinthe
abysse	acné
acronyme	acoustique
acrostiche	acre
adage	acropole
aérolithe	aérogare
aéronef	affres
agrumes	alcôve
alambic	algèbre
albâtre	alluvion
alvéole	amibe
ambre	amnistie

Masculin (suite)	Féminin (suite)
amiante	anagramme
anathème	ancre
anévrisme	anicroche
anthracite	antichambre
antidote	arabesque
antipode	argile
antre	arrhes
aphte	atmosphère
apogée	autoroute
apologue	autostrade
appendice	avant-scène
après-midi	azalée
arcane	bisque
armistice	campanule
aromate	câpre
arpège	caténaire
asphalte	chausse-trape
asphodèle	chlamyde
astérisque	clepsydre
asthme	coquecigrue
astragale	dartre
augure	décalcomanie
balustre	drachme
bulbe	ébène
cathéter	ébonite
chrysanthème	écarlate
codicille	ecchymose
colchique	échappatoire
décombres	écharde
éclair	écrevisse

Masculin (suite)
édicule
edelweiss
effluve
élastique
ellébore
éloge
élytre
emblème
en-tête
entracte
épeautre
éphémère
épithalame
épiderme
équinoxe
esclandre
escompte
exergue
exode
exorde
falbala
fuchsia
globule
granule
haltère
harmonique
héliotrope
hémisphère
hémistiche
hiéroglyphe

Féminin (suite)
écritoire
effarvatte
égide
encaustique
enclume
entrecôte
enzyme
éphéméride
épigramme
épistaxis
épitaphe
épithète
épître
équerre
équivoque
escarre
estafette
farlouse
ficaire
frangipane
gemme
glaire
gonade
H.L.M.
icône
idole
idylle
immondice
impasse
imposte

Masculin (suite)	Féminin (suite)
horaire	interview
hyménée	lingue
hypogée	logorrhée
insigne	mandibule
intermède	matricaire
interrogatoire	météorite
interstice	mezzanine
intervalle	moustiquaire
isthme	nacre
ivoire	odalisque
jade	oasis
jute	ocre
libelle	octave
lignite	omoplate
météore	opale
obélisque	optique
opercule	orbite
opprobre	oriflamme
opuscule	patère
orbe	phalène
orifice	planaire
ovale	prémices
ovule	prémisse
pétale	réglisse
planisphère	scolopendre
pore	scorsonère
poulpe	sépiole
schiste	spore
sépale	stalactite
sesterce	stalagmite

Masculin (suite)
tentacule
termite
trille
trope
tubercule
tulle
uretère
urètre
viscère
vivres

Féminin (suite)
ténèbres
topaze
urticaire
vêpres
vésicule
vicomté
vis
volte-face
yeshiva
yourte

Peut mieux faire

La faute à qui?

Au début de l'année 2001, on a pu voir, affichées sur des panneaux dans le métro parisien, des reproductions de tableaux connus, accompagnées d'un texte d'auteur ou de chanteur non moins connu (d'excellentes campagnes sont menées par la RATP pour l'art pictural, la poésie, etc.).
L'un de ces tableaux représentait un port ancien d'où partent vers le lointain de grands bateaux à voiles, pendant que des marins se réchauffent autour d'un feu qui n'occupe qu'une toute petite partie de la représentation, en bas à droite. C'est pourtant ces flammes que remarque immédiatement Hugues Auffray qui écrit dans son commentaire, en toute logique hugaufrettienne, qu'il doit s'agir d'un « feu

de camp » ; on imagine notre chanteur des *sixties* prêt à franchir les deux ou trois siècles qui l'en séparent pour s'installer avec sa guitare et entonner l'idoine refrain : « C'est un fameux trois-mats... »
On pouvait aussi découvrir *Le Radeau de la Méduse* de Géricault, commenté par Jean-François Deniau qui, se mettant dans la triste situation des marins perdus sur leur embarcation de fortune, écrit : « Il faut qu'on les voit » ; à la fin de cette phrase, le **t** du verbe « voit » avait été souligné par un voyageur descendu à la station « Saint-Placide », avec cette mention manuscrite : « Bien vu ! »
Cette exclamation un brin ironique mettait en relief l'erreur commise. La proposition principale « il faut » contenant une idée d'obligation, le verbe de la subordonnée doit être employé au subjonctif et non à l'indicatif, ce qui aurait dû donner : « Il faut qu'on les voie. » Ce n'est certainement pas l'écrivain Jean-François Deniau qui est responsable de cette erreur, ce n'est pas non plus celui ou celle qui s'est chargé de la transcription du texte. C'est l'ordinateur ! Tout simplement, comme d'habitude...

À la noix

Sont-ce des rames ou des blasons, des écussons géants ou bien des écus nains, sont-ce des pagaies plantées là au cas où – on ne sait jamais... – il prendrait à Paris, la ville qui

« *fluctuat* », de se faire « *mergitur* »? Auquel cas, tous ceux qui dans les rues rament au quotidien, se saisiraient de l'objet, et la ville continuerait de flotter dans ses brumes carboniques, de couler des jours qu'on dit heureux.

Sans doute vous aussi avez-vous fait halte, dans la capitale, devant ces plaques de bronze où se trouve gravée l'histoire d'une rue, d'un bâtiment ou d'un quartier.

Remarquables de concision, les textes qui y figurent dévident jusqu'à nous le fil du temps et nous invitent à jouer le funambule, vers ce qui fut. On se laisse emporter, mais parfois, un rien, une bosse, une aspérité, et voilà qu'on bute, qu'on tombe de haut.

Ainsi, à l'entrée de la galerie Vivienne, au n° 4 de la rue des Petits-Champs, on peut lire, en plein milieu du texte : « Bénéficiant d'une situation exceptionnelle entre le Palais-Royal, la Bourse et les Boulevards, le passage connût jusqu'à la fin du second Empire un succès sans faille » Aïe ! Que fait ce chapeau sur le **u** de « connût » qui devient un imparfait du subjonctif, alors qu'il nous racontait le passé simple, tout simple, à titre indicatif ?

On sait que la construction de ce passage Vivienne fut confiée à l'architecte Delannoy. Et la révision du texte ? À un grammairien à la noix...

Mieux vaut courir

Entendu à la radio (une station nationale très écoutée), le mercredi 21 novembre 2001 à 17 h 04 : « Cette fois-ci, c'est sûr, Jean Alési courira l'année prochaine... » Vraiment ? Ce n'est pas Alési qui pilote la phrase, et pourtant, voilà son moteur de verbe qui explose pour se retrouver dans les graviers des conjugaisons ratées. Dire « Jean Alési courra l'année prochaine... », en insistant discrètement sur les deux **r** aurait pourtant suffi à gagner le grand prix du futur (simple de l'indicatif).

Faux-pas

« Vivre sa vie sans un amour, fuyant la lumière du jour, nous irons danser - z - ensemble... » Cet extrait d'une chanson qui se promène sur les ondes depuis quelque temps a fait se dresser plus d'une oreille : « Nous irons quoi ?... », et déjà, le refrain est de retour : « Nous irons danser - z - ensemble... ». Ouh là ! Voilà une liaison bien dangereuse dans cette histoire d'amour : on imagine que l'interprète Kelli Joyce a pu se dire « Puisque c'est nous, et qu'on est deux, je vais dire « dansés - z - ensemble », ce sera mieux » Eh non ! C'est l'infinitif « danser » qu'on doit employer après « nous irons » (on peut dire « nous irons courir, sourire, mourir », infinitifs du 3e groupe... il faut donc employer l'infinitif du 1er groupe « danser » et non le participe passé). Il eût fallu qu'on entendît : « Nous irons danser - r - ensemble ». Rita et Mitsouko martèlent dans un de leurs tubes « Les histoires d'amour finissent mal. » Pas étonnant : avec de tels faux pas dès le début...